D1285221

Diese Publikation erscheint anlässlich der Ausstellung:
Knoten und Kristalle, Galerie Borchardt, Hamburg,
2017

This publication is published to accompany the exhibition:
Knots and crystals, Gallery Borchardt, Hamburg, 2017

KERBER ART

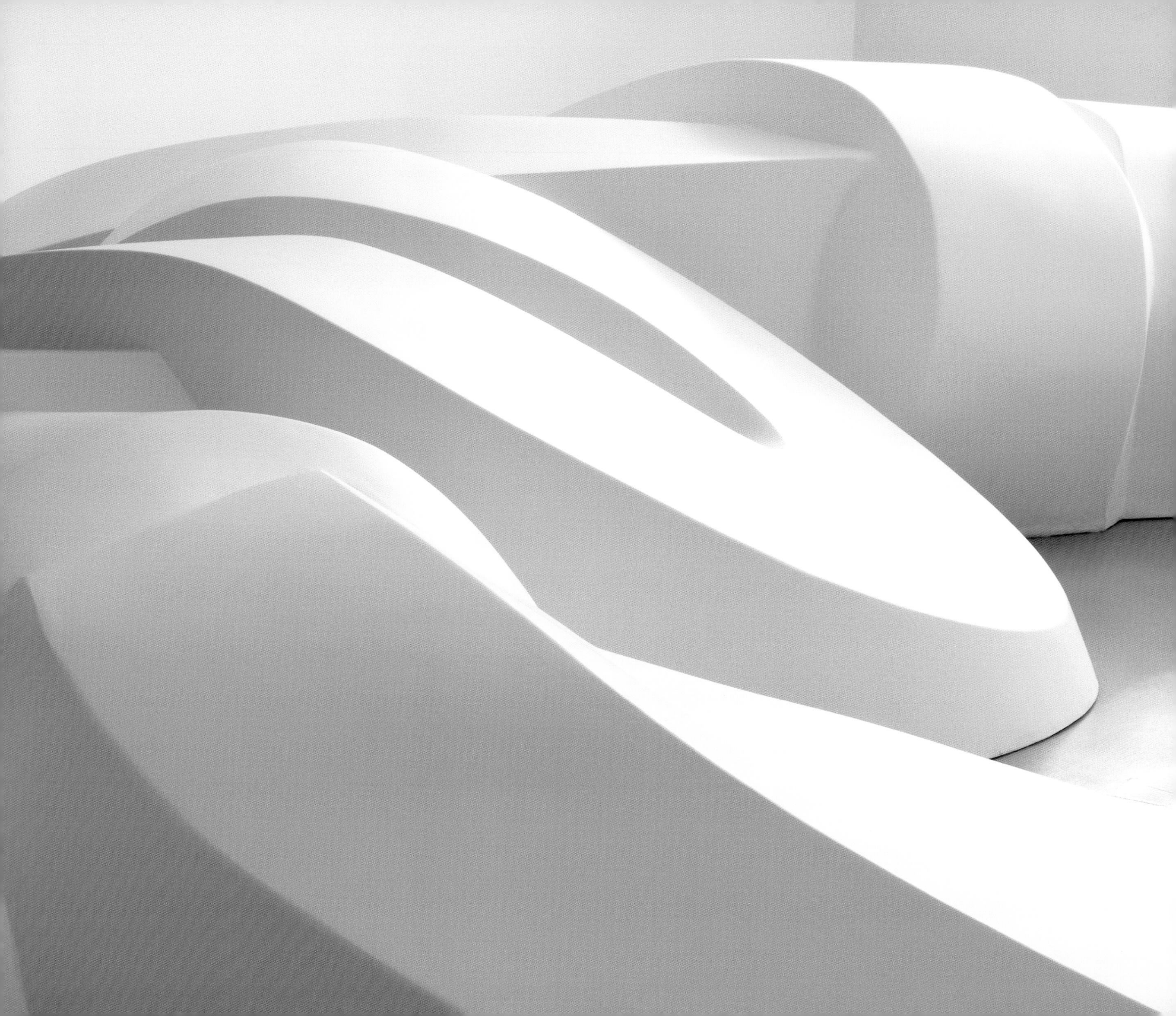

INHALT / CONTENTS

Yevgeniya Safronova
Plastische und installative Arbeiten 2004–2016

Es ist nicht leicht, sich auf dem intensiv bearbeiteten Feld zeitgenössischer Skulptur zu behaupten, die wie kaum eine andere Gattung in den vergangenen 100 Jahren enorme Entwicklungen durchlaufen hat.[1] Dennoch hat die Künstlerin Yevgeniya Safronova seit ihrer Akademiezeit in Münster eine ganz eigenständige und unverkennbare plastische Sprache entwickelt. Während das Zusammenbauen von Objekten, das Offenlegen handwerklicher Fertigung und das Konstruktive den Werkprozess von Bildhauern wie Richard Deacon oder Leunora Salihu bestimmen, Plastiker wie Tony Cragg oder Gereon Krebber hingegen ihre Arbeiten stark vom Material und dessen Eigenschaften her entwickeln, bleibt Yevgeniya Safronova eher einem klassischen Begriff von Skulptur verbunden, der in der Traditionslinie eines Hans Arp, Constantin Brancusi oder Henri Moore steht.

Yevgeniya Safronova beschäftigt sich mit grundsätzlichen Fragestellungen des Skulpturalen, die sie oftmals seriell bearbeitet, wie dem Verhältnis des plastischen Volumens zum Raum, mit Oberfläche, Kontur, Wiederholung und Bewegung. Die Formen, die sie entwickelt, sind imaginär, enthalten jedoch Anklänge an die Natur oder vom Menschen Geschaffenes, so dass sie meist zugleich seltsam fremd und doch annähernd vertraut wirken. Häufig weisen Safronovas Plastiken kristalline, waben- oder knotenartige Strukturen auf, andere erinnern an Schlingen oder Schlaufen. In kleinerem Format werden sie in Gips oder Kunststoff ausgeführt, in größeren Dimensionen z.B. in Epoxidharz.
Safronova entwickelt ihre dreidimensionalen Formen im zeichnerischen Medium. Am Beginn der Arbeit kann dabei der Eindruck eines realen Gegenstandes stehen, der dann im zeichnerischen Prozess abstrahiert wird. Nicht selten schließt sich an diesen Entwurfsprozess die Formung eines Modells aus Ton an, das, sofern die Formfindung als gültig anerkannt wird, mithilfe von Schablonen maßstabsgetreu vergrößert wird. Mithin ist Safronovas Werkprozess uneingeschränkt handwerklich sowie zeitaufwendig und erfordert eine hohes Maß an Präzision und Geschicklichkeit.
Schon seit ihrer Akademiezeit setzt sich die Künstlerin intensiv mit der raumverändernden Qualität von Skulptur auseinander, indem sie Plastiken schafft, die, anstatt sich frei im Raum zu entfalten, an Wänden, Fußböden oder Pfeilern haften, wie Wucherungen oder Ausstülpungen der architektonischen Hülle wirken oder unmittelbar aus dieser herauszuwachsen scheinen. In diesen groß dimensionierten Formfindungen realisiert Safronova auf ideale Weise ihre plastischen Vorstellungen: Die komplexen Gebilde lassen skulpturale Landschaften entstehen, die, von verschiedenen Standpunkten aus betrachtet, immer wieder neue Konstellationen offenbaren. Auf den mal kantig, mal weich gebrochenen, zumeist strahlend weißen Oberflächen fängt sich das Licht in verschiedenen Schattierungen, wodurch ein fast malerischer Effekt erzeugt wird.

Lichtinstallationen 2004–2007

Von Beginn an setzte Safronova auf das Primat des Visuellen in der Skulptur, weshalb ihr Schaffen stark von der Auseinandersetzung mit der Oberfläche bestimmt wird. So erhielt die ehemalige Meisterschülerin des Malers Ulrich Erben ihren Akademiebrief 2005 auch nicht für eine plastische Arbeit, sondern für die Lichtinstallation „Regenhaus" im Wewerka-Pavillon am Aasee in Münster. Die gläserne Hülle der Architektur wurde von der Künstlerin zur Projektionsfläche eines irritierenden Schauspiels umfunktioniert: Mit Einbruch der Dunkelheit begann das Haus von innen heraus zu leuchten, wobei an den Innenseiten der großen Glasscheiben herabrinnendes Regenwasser sichtbar wurde. Erst auf den zweiten Blick war zu erkennen, dass es sich um ein Trugbild handelte und der abperlende Regen in Wirklichkeit auf die Scheiben projiziert

1 Vgl. Sabine B. Vogel: Grenzenlose Skulptur. Ein Überblick über das Skulpturale heute; in: Kunstforum, Bd. 229, Okt.–Nov. 2014, S. 28.

wurde. Ebenso gleichmäßig wie erratisch liefen die Tropfen und zarten Wasserfäden scheinbar an den Fenstern herab und bildeten durch die im Hausinnern verborgenen Lichtquellen ein faszinierendes Schattentheater.[2]

Für das „Regenhaus" konstruierte Safronova, nachdem sie Teile des transparenten Wewerka-Pavillons mit schwarzer Folie verkleidet hatte, für jede der 18 verbliebenen Fensterflächen jeweils einen großen mit einer Glasscheibe verblendeten Projektionskasten, der von hinten durch einen starken Scheinwerfer beleuchtet wurde. Ein kompliziertes System aus Pumpen, durchstochenen Schläuchen und Wasser, dem verschiedene Substanzen zugesetzt wurden, um ein möglichst lineares Herabfließen zu bewerkstelligen, ließ die Illusion von an den Schaufensterflächen des gläsernen Baus herabrinnendem Regen entstehen. Da die Besucher den Pavillon lediglich wie einen skulpturalen Körper umschreiten, nicht aber in diesen eintreten konnten, und die Fenster mit transparenter Folie beklebt waren, blieb die Ursache des eigentümlichen Geschehens für sie verborgen. Als Gesamtheit konnte die installative Arbeit somit wie ein dreidimensionales Objekt wahrgenommen werden, während die Projektionsflächen eine eminent malerische Wirkung entfalteten, die u.a. Erinnerungen an Jackson Pollocks drippings wach rief.[3] Indem sie einen Regenschauer in das Innere eines architektonischen Gehäuses verlegte, schuf Safronova ein ebenso lyrisches wie rätselhaft-surreales Bild inmitten der Münsteraner Parklandschaft.

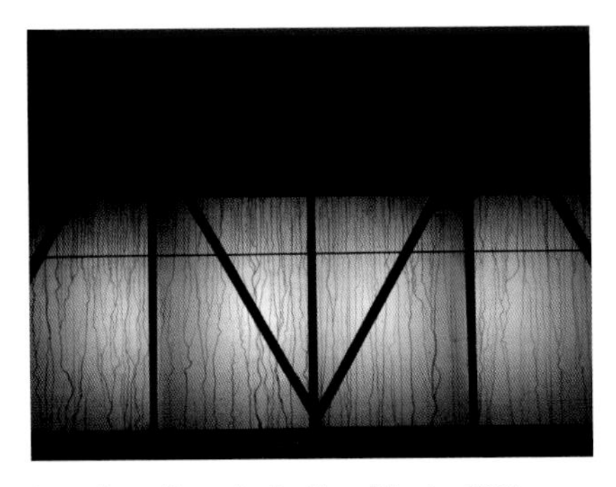

Regenhaus, Wewerka-Pavillon, Münster, 2004

Für eine Ausstellung in der Galerie DKM im Duisburger Innenhafen entwickelte Safronova die Idee des „Regenhauses" im Folgejahr weiter. Auch die Installation „Lichterfluss" entfaltete ihre visuelle Kraft erst mit der Dämmerung, als die zu Dani Karavans „Garten der Erinnerung" hin ausgerichteten vier großflächigen Schaufenster der Galerie zu leuchten begannen. Auf den Scheiben zeigten sich dichte abwärts fließende Schlieren, die durch das aus dem Hausinneren nach außen dringende Licht in mannigfaltigen schillernden Abstufungen erstrahlten. Wie ein flimmernder Vorhang legte sich das Lichtspiel eines nicht enden wollenden raschen Abwärtsfließens auf die Scheiben und entfaltete für das Auge eine meditativ-fesselnde Wirkung.

Auch für die Installation „Lichterfluss" konstruierte Safronova groß dimensionierte Projektionskästen analog zur Anzahl der vorhandenen Schaufensterscheiben, die wiederum mit transparenter Folie verblendet wurden. Um den Effekt zu modifizieren, nahm sie jedoch entscheidende Veränderungen vor: Das Wasser wurde nun mittels einer Rinne über die gesamte Fläche der Glasscheibe verteilt, die ihrerseits schräg in das Gehäuse gesetzt war, um ein gleichmäßiges Abfließen zu ermöglichen. Ein motorbetriebenes Hämmerchen aus Kunststoff klopfte jeweils in regelmäßigem Rhythmus gegen die Scheibe, wodurch die als Flimmern wahrzunehmenden Ablenkungen des steten Wasserflusses zustande kamen.

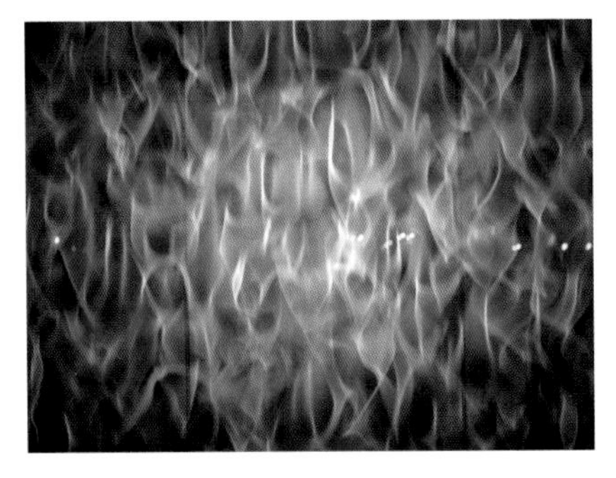

Lichterfluss, Stiftung DKM, Duisburg, 2006 - 2007

War die vom „Regenhaus" erzeugte Illusion dem Naturphänomen eines Schauers noch recht nah und das in einzelnen Rinnsalen herabfließende Wasser als solches unmittelbar erkennbar, so entfaltete der „Lichterfluss" demgegenüber eine abstraktere Anmutung, die der Betrachter nur annäherungsweise als fließendes Wasser identifizieren konnte und die deutlicher den Gestaltungswillen der Künstlerin hervortreten ließ. Die Naturassoziation wurde zugunsten einer vornehmlich ästhetischen Erfahrung zurückgedrängt, die das Augenmerk vor allem auf das kontinuierliche Bewegungsmoment des Herabfließens sowie auf das faszinierende Lichtspiel lenkte.

Trotz oder gerade wegen ihres stark malerischen Effekts zeigten die beiden technisch hoch aufwendigen Installationen „Regenhaus" und „Lichterfluss" bereits Merkmale, die für das gesamte plastische Schaffen Safronovas bis heute

2 Vgl. Ullrich, Ferdinand: Yevgeniya Safronova. Regenhaus. Münster 2004, S. 58.
3 Ebd.

von entscheidender Bedeutung sind. So bilden das Spiel mit Licht und Schatten sowie die Auseinandersetzung mit Bewegung und Wiederholung wichtige Konstanten ihres skulpturalen Werks. Auch die sich hier abzeichnende Ambivalenz von Zufall und Bestimmtheit, von Regelmaß, Rhythmus und Abweichung sowie das Arbeiten an der Nahtstelle von Natur und vom Menschen geschaffener Dinglichkeit stellen Wesensmerkmale ihres künstlerischen Diskurses dar. Die insbesondere beim Wewerka-Pavillon realisierte gezielte Modifikation einer architektonischen Hülle sowie der Gedanke der Gesamtkomposition bilden weitere Schwerpunkte Safronovas, mit denen sie sich vor allem im Zeitraum 2006 bis 2009 beschäftigt hat.

Installationen und „Raumskulpturen" 2006–2009

War der Betrachter bei den Installationen „Regenhaus" und „Lichterfluss" jeweils mit dem projizierten Abbild des Vorgangs und folglich einer vermittelten Realität konfrontiert, ohne das tatsächliche Geschehen bzw. die dafür geschaffene Versuchsanordnung selbst sehen zu können, so stellte ihm eine 2005 im Peschkenhaus in Moers realisierte Arbeit, die zudem in einer Reihe von Zeichnungen und einem Modell durchgespielt wurde, realiter einen in den Ausstellungsraum eindringenden Erguss gegenüber. Verursacht durch das gewählte Material, wurde die lyrisch-surreale Wirkung der Münsteraner Installation hier aber durch eine deutlich unheimlichere Grundstimmung abgelöst.

Schon 2002 hatte Safronova in einer frühen Studienarbeit massenhaft Videobänder aus großen füllhornartigen Formen hervorquellen lassen. Im Peschkenhaus brachte sie knapp unter der Zimmerdecke eines Saales das gebogene Endstück eines großen metallfarben lackierten Kunststoffrohrs an, aus dem sich ein riesiger Schwall der tiefschwarzen Bänder scheinbar ungebremst in den Raum ergoss, um dort einen nicht unbeträchtlichen Teil des Fußbodens zu bedecken. Grotesk mutete der Kontrast zwischen der stuckverzierten Jugendstilarchitektur des Ausstellungsraums und dem vorgeblichen Schwall einer pechfarbenen Brühe an, die unerbittlich aus einer Art Abflussrohr herauszuströmen schien. Die Dynamik der senkrecht in den Raum herabstürzenden Magnetstreifen wurde optisch am Boden abgebremst, wo sich Anhäufungen bildeten, die an zähflüssiges Bitumen erinnerten. Gleichmäßig und träge schien sich die schwarz glänzende Masse im Raum auszudehnen. Die Wahrnehmung blieb angesichts des befremdlichen Vorgangs jedoch ambivalent, der ebenso wie ein im Moment höchster Dramatik eingefrorenes Standbild aufgefasst werden konnte. Zudem oszillierte das Auge beständig zwischen dem Gesamtbild der sich in die Architektur ergießenden dunklen Substanz einerseits und der optischen Auflösung des Volumens in eine unendliche Anzahl fein verschlungener Bänder andererseits.

Wie bei „Regenhaus" und „Lichterfluss" ging es auch bei Safronovas Installation im Peschkenhaus um das Bewegungsmoment des Fließens, dem hier jedoch eine Sinnestäuschung zugrunde lag. An die Stelle realer Dynamik trat die Lebendigkeit der Oberfläche, da sich auf den akkumulierten glatten Kunststoffbändern mannigfaltige Lichtreflexe bildeten, die sich mit jedem Luftzug im Raum und jedem Standortwechsel des Betrachters veränderten. Ließen die beiden Lichtinstallationen metaphorische Interpretationsspielräume aus dem Bereich zyklischer Naturabläufe oder des menschlichen Lebenskreislaufs zu,[4] so evozierte das bedrohliche Bild der sich dunkel ergießenden Flut eher fatalistische Assoziationen: Die in den schützenden architektonischen Raum eindringende, an Erdöl erinnernde pechfarbene Masse erzeugte ein latentes Gefühl von Bedrohung und weckte zudem Gedanken an Umweltverschmutzung und Zerstörung. Andererseits konnte das Bild der sich scheinbar ungehemmt in den weiß getünchten Saal ergießenden Abwässer auch als ironischer Kommentar auf das moderne Ausstellungsprinzip des White Cube, des neutral-weißen Raums, gelesen werden, der eine Interaktion zwischen Kunstwerk und Architektur gemeinhin vermeiden soll. Demgegenüber wird gerade diese Wechselbeziehung hier zum zentralen Prinzip der Arbeit erhoben.

Ohne Titel, Kunstverein Peschkenhaus Moers, 2005

Eine Zeichnung sowie ein Modell aus dem Jahr 2006, in denen Safronova jeweils den Grundaufbau ihrer Arbeit aus dem Peschkenhaus multiplizierte, so dass ganze Räume in den dunklen Fluten aus Magnetbändern versinken, kehr-

4 Vgl. Ullrich, ebd.

ten dieses Moment ihrer Installation deutlicher hervor. Die Skulptur wird nicht wie eine eigenständige, unabhängige künstlerische Aussage in der Ausstellung platziert, sondern sie gibt vor, Teil der bestehenden Architektur zu sein, deren Neutralität sie aufhebt, indem sie ein Anderes, Irreales in den umbauten Raum eindringen lässt. Ihre Wirkung sowie ihre potentielle Ausdehnbarkeit erfassen somit die gesamte Räumlichkeit, die sozusagen zu ihrem Resonanzboden umfunktioniert wird. Safronova setzt hier ein Prinzip um, das in den Folgejahren zu einem ihrer Hauptthemen wird. Sie wird damit sehr wörtlich dem Postulat des Kubisten Henri Laurens folgen, der die Plastik vor allem als Besitzergreifung des Raumes verstand.[5]

Seit dem Aufkommen der „Environmental Art" in den USA der 1950er Jahre hat Raumbezogenheit in der bildenden Kunst eine enorme Vielfalt entwickelt. „Heute gehört der Ort als Ausgangspunkt einer Skulptur zur selbstverständlichen Praxis vieler KünstlerInnen."[6] Beginnend mit ihrer Installation im Peschkenhaus 2005 setzte sich Safronova in einer ganzen Reihe von Arbeiten mit dem bildnerischen Gedanken der Gesamtkomposition auseinander. Ihr künstlerischer Impuls, eine ganze Räumlichkeit mithilfe von Skulptur zu gestalten und zu verändern, fand in einem 2009 entstandenen Modell eine radikale Formulierung. Erneut täuscht diese in kleinem Maßstab durchgespielte Arbeit mit plastischen Mitteln fließende Bewegungen vor, die in diesem Fall wie das wogende Auf und Ab großer Wassermassen wahrgenommen werden. Der senkrechten Dynamik der Installationen „Regenhaus" und „Lichterfluss" sowie der herabstürzenden Flut schwarzer Kunststoffbänder im Peschkenhaus setzt sie die horizontale Ausdehnung einer weit gespannten Flächenform entgegen. Wie ein leuchtend blaues, glänzendes Gewässer durchwogt diese augenscheinlich einen von zahlreichen Pfeilern durchbrochenen Innenraum, der, wie die vier großen Schaufensteröffnungen anzeigen, den Dimensionen des ehemaligen Galerieraums der Stiftung DKM entspricht.

Auffällig ist die Vielzahl an Stützen, die in dieser Anhäufung im architektonischen Gefüge völlig unsinnig erscheint und sich bei genauerer Betrachtung als Bestandteil des plastischen Gedankens entpuppt. Tatsächlich dient die Mehrzahl der eingefügten Pfeiler der Stabilisierung der Plastik, die als auf- und abschwingende Flächenform den Raum in der Horizontalen durchschneidet und dabei gleichsam in der Luft schwebt. Der Übergang von Bildwerk und Baukörper wird nicht mehr klar voneinander unterschieden, weshalb der gebaute Raum in seiner Gesamtheit selbst Teil des skulpturalen Gebildes wird.

Safronovas Entwurf einer blauen Flächenform bricht ebenso wie ihre Installation im Peschkenhaus spielerisch und fantasievoll mit herkömmlichen Vorstellungen von Skulptur, indem sie die Gesetzmäßigkeiten von Tragen und Lasten vordergründig außer Kraft setzt und ihrer geschwungenen Form jeglichen Bodenkontakt entzieht. Das avantgardistische Bestreben, die Skulptur von ihrem Sockel zu befreien und sie zunehmend in den Alltagsraum einzugliedern, findet hier eine überspitzte Formulierung, indem der plastischen Form zusammen mit dem Volumen auch gleich jegliche Bodenhaftung abhanden gekommen ist. Mit ihren fließenden oder schwebenden Formfindungen schickt sich die Künstlerin an, Phänomene zu verbildlichen, die sich der Darstellbarkeit im statischen dreidimensionalen Medium eigentlich entziehen. So bildet ihre Maquette eines Raumobjekts kein geschlossenes Volumen, das sich klar gegen den Raum abgrenzt oder unabhängig von dessen baulicher Beschaffenheit beschrieben werden könnte. Stattdessen reduziert Safronova ihre Skulptur auf die reine Oberfläche, die schon allein aus physikalischen Gründen auf das Wechselspiel mit der architektonischen Hülle angewiesen ist. Dennoch kann das sanfte Wogen dieser skulpturalen Landschaft, auf deren hoch glänzender Oberfläche sich das Licht unterschiedlich bricht, auch als autarker plastischer Gedanke bestehen, wie eine in Gips gegossene, weiß lackierte Ausführung der Flächenform belegt (Abb. S. 47).

Raumobjekt mit blauer Fläche, 2009

2009 hatte Safronova erstmals Gelegenheit, ihren künstlerischen Gedanken einer raumbezogenen skulpturalen Gesamtkomposition in großen Dimensionen auszuführen. Im Kunstverein Leverkusen konnte sie die bereits 2007 in einer Zeichnung und einem Modell entwickelte Idee eines Raumquaders um-

5 Vogel, wie Anm. 1, S. 35.
6 Ebd., S. 40.

setzen, dem eine Vielzahl plastischer Wucherungen anhaftet (Abb. S. 58). Die in der Skizze zunächst noch weich und organisch gestalteten plastischen Körper, verwandelte Safronova im dreidimensionalen Modell in konvexe Polyeder, die an Deckenstützen und Wänden kleben oder pyramidal aus dem Fußboden emporwachsen.

Von dieser Konfiguration abgeleitet, gestaltete die Künstlerin für Leverkusen vier großformatige wabenähnliche Formen. Wie Wände und Pfeiler sind auch die aus Styropor und Gips modellierten plastischen Module in neutralem Weiß gehalten, so dass diese geradewegs aus der baulichen Hülle herauszuwachsen scheinen. Ihre kantigen Formen sowie deren Anordnung nehmen Bezug auf die konkrete Räumlichkeit und deren Abmessungen. Nicht das einzelne plastische Werk wird vom Betrachter wahrgenommen, sondern vielmehr der räumliche Zusammenklang aller vier Elemente. Wie Susanne Wedewer herausgearbeitet hat, führen die plastischen Ausstülpungen dazu, dass die Architektur ihren Charakter einer neutralen Hülle verliert und stattdessen als ein „uns absorbierender ‚Körper'" wahrgenommen wird.[7] Dieser wird wiederum zum Resonanzraum der skulpturalen Formen, so dass sich beide wechselseitig bedingen.

Raumskulpturen, Installation 2009

Der von Safronova für ihre Leverkusener Arbeit gewählte Titel „Raum-Skulptur" war eigentlich ein Pleonasmus, da die Skulptur per se ein räumliches Medium ist. Wedewer führte den Begriff jedoch auf Richard Serra zurück, der diesen 2007 aus Anlass seiner im Museum of Modern Art gezeigten Ausstellung verwendete, um zu beschreiben, wie er durch die Platzierung seiner monumentalen Stahlformen den Raum selbst in skulpturale Volumina verwandelt.[8] Für Safronova steht neben der plastischen aber erneut die malerische Wirkung ihrer Arbeiten im Vordergrund. Die polygonal gebrochenen Oberflächen ihrer Volumina teilen das seitlich einfallende Licht in klar voneinander unterschiedene Weiß- bzw. Grauabstufungen, wodurch die äußeren Hüllen der Polyeder eine Art Helligkeitsspektrum bilden. Neben dem Spiel mit Raum und plastischem Volumen ist es also auch hier wieder der spezifische Umgang mit Licht und Oberfläche, der Safronovas markante bildnerische Sprache auszeichnet. Gegenüber ihren vorangegangenen Formfindungen blieb die für Leverkusen geschaffene „Raum-Skulptur" jedoch auffallend statisch. Das sollte sich mit ihrer bis dato größten Plastik entschieden ändern, die die Künstlerin 2014 im Museum DKM in Duisburg realisieren konnte.

„Raumskulptur" 2013/2014

Im Rahmen der an zehn verschiedenen Standorten gezeigten Schau „RuhrKunstSzene" schuf Safronova eine großflächige Bodenarbeit, die in Auseinandersetzung mit den Dimensionen und architektonischen Gegebenheiten eines konkreten Ausstellungsraums des Duisburger Privatmuseums DKM konzipiert wurde und unmittelbar auf dessen langgestreckten Grundriss reagierte. In einem enorm aufwendigen Schaffensprozess, der sich über etliche Monate hinzog, ließ die Künstlerin in maßstabsgetreuer Übertragung eines zuvor entwickelten Modells eine Reihe großformatiger Module entstehen, die, hoch präzise aus Materialien wie Styropor, Epoxidharz und Gips gefertigt, erst vor Ort passgenau zu einer Großplastik zusammengefügt wurden.

Scheinbar aus einer Schmalseite des Ausstellungssaales hervorquellend, wucherte Safronovas komplexe Struktur in den Raum hinein. Dabei entwickelte die in komplizierten Verschlingungen und Überlagerungen sich windende Form eine große Flächenausdehnung, ohne jedoch nennenswerte Höhe zu erreichen.[9] Die meist U-förmigen Schlaufen der groß dimensionierten Plastik ließen an die Glieder einer verhedderten Kette oder an ein unentwirrbar verknotetes Band denken. Gegenständliche Assoziationen wurden durch die steril-weiße Farbgebung und die perfekt geglättete Oberfläche jedoch wieder aufgehoben, die der Plastik das Aussehen eines modernen Design-Objekts verliehen. Obwohl die einzelnen schlaufenartigen Segmente untereinander Entsprechungen aufwiesen, gab es keine Wiederholungen. Jedes Element hatte eine individuelle und im skulpturalen Gebilde singulär auftretende Form. Trotz der additiven Aneinanderreihung der analog gestalteten Teilstü-

7 Susanne Wedewer: Zu der Arbeit „Raum-Skulptur" von Yevgeniya Safronova. Kunstverein Leverkusen Schloss Morsbroich e.V. 25.8.–27.9.2009 (Faltblatt zur Ausstellung).
8 Ebd.

9 Im Maximum hat die Arbeit eine Höhe von einem Meter.

cke schienen deren Verästelungen und Durchdringungen einem erratischen Prinzip zu folgen. Wie ihre Arbeit für den Leverkusener Kunstverein ist auch die für das Museum DKM geschaffene Plastik ein Zwitterwesen, das einerseits die Eigenschaften eines organischen Gebildes aufweist – einschließlich des Potentials, sich durch Wachstum weiter im Raum auszudehnen –, andererseits aber künstlich und steril wirkt, ein Merkmal, das Safronova bei anderen Formfindungen durch die Verwendung metallischer Oberflächen oder durch eine grelle Farbigkeit teilweise bewusst verstärkt.[10]

Raumskulptur, 2013/2014

In ihrer Duisburger Großplastik entwickelte Safronova die Gedankenstränge vorangegangener Arbeiten konsequent weiter und führte diese zusammen: Naturanaloge Bewegungsmomente, die Modifikation der Raumqualität durch das Eindringen eines plastischen Körpers, das Spiel mit der lebendigen Oberfläche, Rhythmus und Wiederholung – all das fand hier zu einer ästhetisch überzeugenden, spannungsreichen bildnerischen Arbeit zusammen. Trotz ihrer gewaltigen Ausmaße setzte Safronovas sockellose Plastik aber nicht auf das Mittel der Überwältigung, sondern animierte die Betrachter unmittelbar, ihre komplexen Verschlingungen und ihre Vielansichtigkeit aktiv im Umschreiten nachzuvollziehen und ihre eminent malerische Qualität in den mannigfaltigen Lichtschattierungen der bewegten Oberfläche zu erfahren. Dennoch blieb die monumentale Formfindung genuin skulptural, indem sie von innen heraus belebt und von einer geheimnisvollen, ihr innewohnenden Dynamik animiert zu sein schien.

Ausdehnung und Konzentration

Wie Safronovas Entwurfsmodelle im Gegenüber mit ihren ausgeführten Plastiken zeigen, lassen sich ihre Formfindungen oftmals in sehr unterschiedlichen Dimensionen denken. Indem sie Skulpturenmodelle mit kleinen Miniaturfiguren kombiniert, beweist die Künstlerin, dass sie mit vielen der von ihr erdachten Skulpturen eigentlich ins Monumentale strebt. Die Vergrößerung um ein Vielfaches ließe die kristallinen oder sanft geschwungenen Formfindungen zu regelrechten skulpturalen Landschaften heranwachsen, die praktisch nur noch im Außenraum denkbar wären. Großplastiken, die als perfekter Zusammenklang von Raum und Form angelegt sind, wie die 2013/14 in Duisburg realisierte „Raumskulptur", ist jedoch von vornherein eine auf die Ausstellungsdauer begrenzte Lebenszeit beschieden, da sie von den konkreten Bedingungen einer vorgegebenen Architektur abhängig sind. Aufgrund ihrer betonten Flächenausdehnung und ihrer rhythmisch-bewegten Oberfläche lassen sich derartige Arbeiten in verkleinertem Maßstab und um 90 Grad gekippt aber auch als Wandreliefs ausführen.

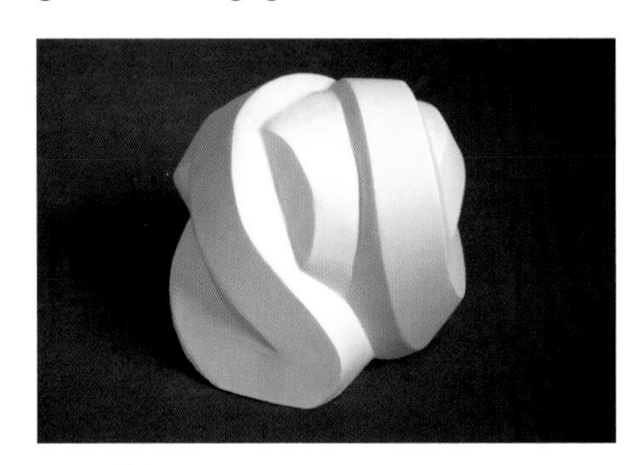

Knotenskulptur, 2013

Eine in jüngerer Zeit entstandene Reihe von „Knotenskulpturen" wirkt der ins Kolossale zielenden Ausdehnung wiederum diametral entgegen und demonstriert eine Verdichtung und Konzentration auf die in sich geschlossene, kompakte, aber wiederum komplex aufgebaute dreidimensionale Form. Das Nebeneinander von konvexen und konkaven Flächen, von scharfkantigen und weich geschwungenen Oberflächen enthält Anklänge an die plastischen Volumina eines Hans Arp, während die komplizierten Verschlingungen zugleich an Tony Craggs Reihe der „Early Forms" aus den 1990er Jahren erinnern. Wie dieser entwickelt und bearbeitet Safronova ihre intuitiven Formfindungen ebenfalls in Serien, um eine Idee in ihren verschiedenen Varianten und Aspekten systematisch zu untersuchen. Dabei geht es ihr vor allem um Bewegungseindrücke und um das Eigenleben der Skulptur.

Obwohl das Visuelle bei Safronovas Skulpturen gegenüber dem Haptischen deutlichen Vorrang hat und ihre Formfindungen keinerlei Bearbeitungsspuren aufweisen, bleibt sie einem sehr handwerklichen Begriff von Skulptur verhaftet,

10 Siehe z.B. ihre 2012 geschaffene Arbeit für den Schlosspark in Köln-Stammheim.

der demjenigen von Constantin Brancusi verwandt ist.[11] Es ist der Künstlerin wichtig, mit Materialien umzugehen, deren Handhabung sie selbst beherrscht und die sie in einem langsamen, aufwendigen Herstellungsprozess bearbeitet, bis nach mühevollem Schleifen und Polieren die Oberfläche vollkommen geglättet und das „Gemachtsein" durch die Perfektion der Ausführung in den Hintergrund gedrängt ist. All ihren Formfindungen ist daher als Ergebnis eine hoch ästhetische, elegante plastische Sprache zu eigen.

Dennoch wirken ihre Bildwerke nicht leblos oder gar steril. Vielmehr spürt die Künstlerin konzentriert und zugleich spielerisch unsichtbar unter der Oberfläche wirkenden plastischen Potenzen nach und folgt damit Henri Moores Grundsatz der von organischer Energie belebten Materie: „[Bildhauerei] schafft Organismen, die in sich selbst vollständig sein müssen. [...] Eine Skulptur muss ihr eigenes Leben haben. Sie soll [...] dem Beschauer das Gefühl vermitteln, dass das, was er sieht, von organischer Energie erfüllt ist, die nach außen drängt."[12] Moores Vorstellungen entsprechend, widerstreben Safronovas Formen wie natürliche Organismen der Symmetrie und erscheinen weniger als Ausdruck eines äußerlichen Gestaltungsprozesses denn als Resultat innewohnender Kräfte, die danach streben, eine Form zu erlangen.[13]

„Gezeichnete Formen" (2016)

Da für Safronova die konsequente Erkundung skulpturaler Möglichkeiten Vorrang hat, werden die einmal ausformulierten Lösungen nicht zum Prinzip erhoben, sondern immer wieder variiert, in Frage gestellt oder auch in ihr Gegenteil verkehrt. So liegt mit einem Mal bei der 2016 im Kunstverein Bellevue-Saal in Wiesbaden gezeigten Arbeit „Gezeichnete Form 1" die bei vorangegangenen Objekten so sorgsam verborgene Materialität ebenso offen zutage wie der scheinbar unangestrengt-spielerische Herstellungsprozess: Aus Wellpappe ausgeschnittene, ringförmige Ovale wurden in unzähligen Lagen auf- und ineinander geschichtet, so dass sich die akkurat Kante auf Kante übereinander gelegten Pappflächen zu unterschiedlich hohen Stapeln akkumulieren. Diese bilden einerseits deutlich unterscheidbare Einzelsegmente, sind andererseits aber durch gegenseitige Überlagerungen und Durchdringungen zu einer höchst komplexen Gesamtform miteinander verflochten.

Der Titel „Gezeichnete Form 1" macht anschaulich, dass Safronova hier den vorbereitenden zeichnerischen Prozess mit der Ausführung der Plastik kurzgeschlossen hat. Den Ausgangspunkt bildete eines ihrer Wandobjekte, das in verschiedenen Abstraktionsschritten in das zeichnerische Medium übertragen und schließlich auf den von Hand nachgezeichneten Kontur reduziert wurde. Es handelt sich somit um die schrittweise Rückführung eines Volumens zur Fläche und weiter zur reinen Linie. Durch den Nachvollzug der Umrisslinien in Wellpappe mithilfe eines Skalpells entstanden dann die einzelnen Lagen, aus denen durch das Prinzip der Schichtung erneut ein dreidimensionales Objekt zusammengefügt wurde. Durch Addition entstand aus Zweidimensionalität Dreidimensionalität, aus Flächen ein Körper, aus Zeichnung Skulptur. Diese wird jedoch nicht mehr als ein von innen belebter plastischer Organismus wahrgenommen. Stattdessen bestimmen das Moment der Segmentierung und des Zusammengefügtseins sowie die markanten Materialeigenschaften nun das Erscheinungsbild.

Gezeichnete Form 1, 2016

Auch wenn die komplexe Werkgenese anhand bloßer Anschauung nicht vollständig nachvollzogen werden kann, so überrascht bei „Gezeichnete Form 1" wie sehr hier im Vergleich zu früheren Arbeiten das augenfällige „Gemachtsein" und das Material das Objekt definieren. Der spielerische Umgang mit Form und Werkstoff sowie deren jeweilige Fragilität, die offenporigen Randstrukturen der Wellpappe oder die leichten Verschiebungen der unterschiedlichen Schichtungen verleihen der Arbeit eine Leichtigkeit und Lebendigkeit, die von einer souveränen Beherrschung plastischer Ausdrucksmöglichkeiten zeugt und explizit den Beginn einer neuen Werkreihe markiert.

---

11 Im Unterschied zu Bildhauern wie Tony Cragg, der handwerkliche Prozesse delegiert, war für Constantin Brancusi die eigenständige Herstellung einer Skulptur einschließlich der aufwendigen Oberflächenbearbeitung ein maßgeblicher Bestandteil des bildnerischen Prozesses.

12 Henry Moore: Über die Plastik. Hrsg. von Philip James. München 1972, S. 50.

13 Moore, S. 51.

Leichtigkeit und Fragilität kennzeichnen schließlich auch eine weitere Arbeit Safronovas aus dem Jahr 2016, die ebenfalls im Kunstverein Bellevue-Saal in Wiesbaden gezeigt wurde. Erneut begegnet dem Betrachter die elliptische Grundform, die hier jedoch als geschlossene Scheibe aufgefasst ist. „Gezeichnete Form 2" zählt zu den bis dato wenigen Metallobjekten Safronovas und wurde aus Edelstahl und Aluminium gefertigt. Im Vergleich zu der in waagerechten Schichtungen auf dem Boden lagernden „Form 1" besticht das Metallobjekt unmittelbar durch seine aufstrebende Dynamik und Eleganz: Über einer ovalen Grundplatte schweben gleichsam vier weitere elliptische Flächen von identischer Größe auf einer Raumdiagonalen, wobei die Ovale einander teilweise überlappen. Die aufsteigende Bewegung der ersten drei Ellipsen fällt mit der vierten jedoch wieder ab, deren Ausrichtung sich der Horizontalen annähert. Von dieser vierten Fläche hängen zarte Metallspiralen herab, die der aufstrebenden Dynamik folglich eine senkrechte Abwärtsbewegung entgegensetzen. Die vier Ovale werden von einer auf der Standfläche fixierten, filigran gebogenen Tragekonstruktion gehalten, die sich nach oben hin verzweigt und an deren Verästelungen rahmenartige Einfassungen für die Metallflächen angebracht sind. Von unterschiedlichen Standpunkten aus betrachtet, ergeben sich immer wieder neue optische Eindrücke. Während aus seitlicher Perspektive das Lineare und das Aufstrebende dominieren, werden von der Stirnseite her gesehen vor allem die diagonal dem Betrachter zugewandten Flächen wahrgenommen. In ihrer Gesamtheit mutet die Skulptur an wie eine sich biegende vegetabile Struktur, wenngleich sich die metallische Beschaffenheit biomorphen Assoziationen widersetzt.

Gezeichnete Form 2, 2016

Safronovas Vorliebe für das Spiel mit Licht und Oberfläche erobert sich hier durch die Verwendung des reflektierenden Materials neue Ausdrucksmöglichkeiten. Wie eine Pflanze neigt sich die Arbeit den Fenstern zu, so dass möglichst viel Licht auf ihre elliptischen Flächen auftrifft. Auch in den zarten Lineaturen der herabfallenden Drahtlocken bricht sich das Licht, das hier durch die sanften Bewegungen flimmernde Reflexe bildet. Auffällig ist, wie entschlossen sich Safronova mit „Gezeichnete Form 2" von ihren raumbezogenen Plastiken abwendet ebenso wie von ihren in sich geschlossenen Knotenskulpturen. Gerade zu letzteren verhält sich „Gezeichnete Form 2" geradezu diametral: Während sich die gewundenen Gefüge der Knotenskulpturen um ein unsichtbares Inneres konzentrieren, schwingt und biegt sich das Metallobjekt gewagt in die Höhe. Der komprimierten Form mit geschlossenem Kontur stehen freie Dynamik und labile Balance gegenüber. Der Zugewinn an Dynamik bedeutet jedoch zugleich einen entschiedenen Verlust an Volumen. Elliptische Flächen, gebogene Tragekonstruktion und zarte Spirallinien vermitteln den Eindruck einer in den Raum gezeichneten Form.

Indem Safronova mit ihren jüngsten Arbeiten den Übergang vom Zwei- zum Dreidimensionalen erkundet, tariert sie zugleich die Grenzbereiche des Plastischen aus. Trotz aller Leichtigkeit und Freude am spielerischen Umgang mit verschiedenen Materialitäten zeigt sich hier erneut die Ernsthaftigkeit und Systematik, mit der sie die bildhauerische Idee untersucht. Im Überblick der letzten zwölf Jahre zeigt sich, wie konsequent sie ihre skulpturalen Fragestellungen entwickelt und sich ein ebenso vielgestaltiges wie ästhetisch anspruchsvolles Œuvre erarbeitet hat.

Dr. Heike Baare

Knoten und Kristalle, Galerie Borchardt, Hamburg
Einzelausstellung

Knots and crystals, gallery Borchardt, Hamburg
Solo exhibition

Gezeichnete Form 1, 2016, Wabenkarton, 50 x 180 x 360 cm

Drawn Form 1, 2016, Honeycomb Board, 50 x 180 x 360 cm

PERLE
STRÖER
Tai Chi
PHILIPP POISEL
40
DANKE!
PERLE

STROER
Tai Chi
40
DANKE!

Gebogene Form 2, 2010, Kunststoff, Lack, 30 x 105 x 120 cm

Curved Form 2, 2010, plastic, paint, 30 x 105 x 120 cm

Kristalline Form 3, 2010, Kunststoff, Lack (beige), 55 x 55 x 8 cm
Crystalline Form 3, 2010, plastic, paint (beige), 55 x 55 x 8 cm

Kristalline Form 4, 2010, Kunststoff, Lack (rot), 50 x 50 x 7 cm
Crystalline Form 4, 2010, plastic, paint (red), 50 x 50 x 7 cm

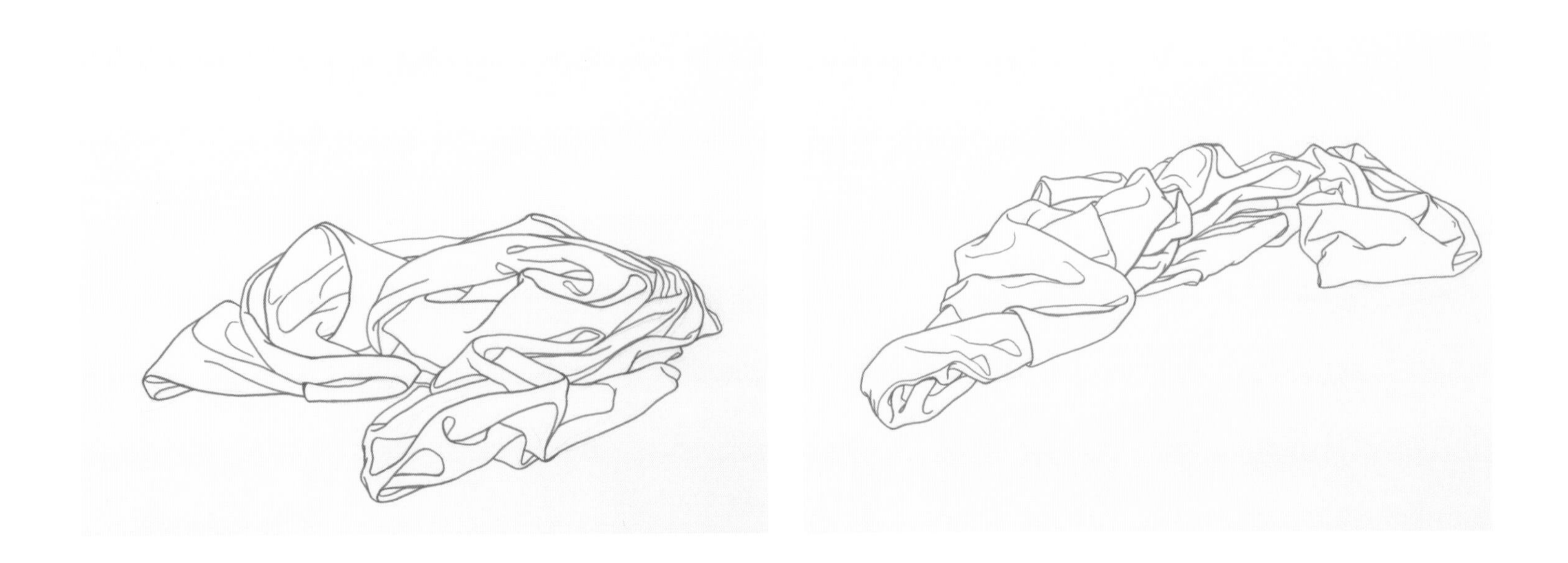

Zeichnungen, je 29 x 42 cm
Drawings, each 29 x 42 cm

Kristalline Form 1, 2010, Kunststoff, Lack, 20 x 110 x 120 cm
Crystalline Form 1, 2010, plastic, paint, 20 x 110 x 120 cm

Ohne Titel, 2017, Draht, Epoxidharz, Schlagmetall, 20 x 15 x 15 cm

Untitled, 2017, wire, epoxy resin, heet metal, 20 x 15 x 15 cm

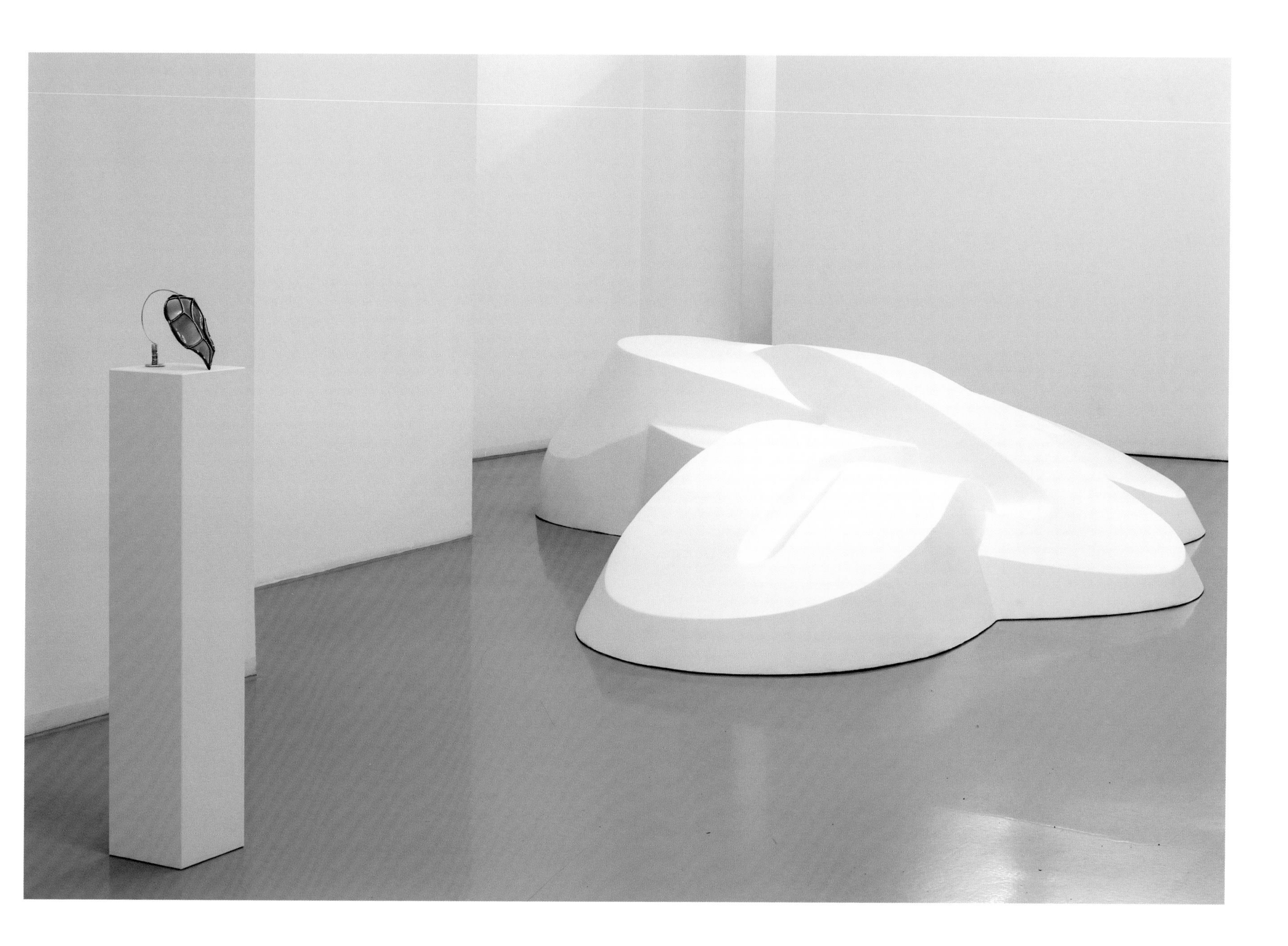

Ohne Titel, 2017, Epoxidharz, Lack, 90 x 300 x 600 cm
Untitled, 2017, epoxy resin, paint, 90 x 300 x 600 cm

Kunstverein Bellevue-Saal, Wiesbaden, 2016

Gezeichnete Form 2, 2016, Edelstahl, Aluminium, 220 x 90 x 320 cm

Drawn Form 2, 2016, stainless steel, aluminum, 220 x 90 x 320 cm

Gezeichnete Form 1, 2016, Wabenkarton, 50 x 180 x 360 cm
Drawn Form 1, 2016, Honeycomb Board, 50 x 180 x 360 cm

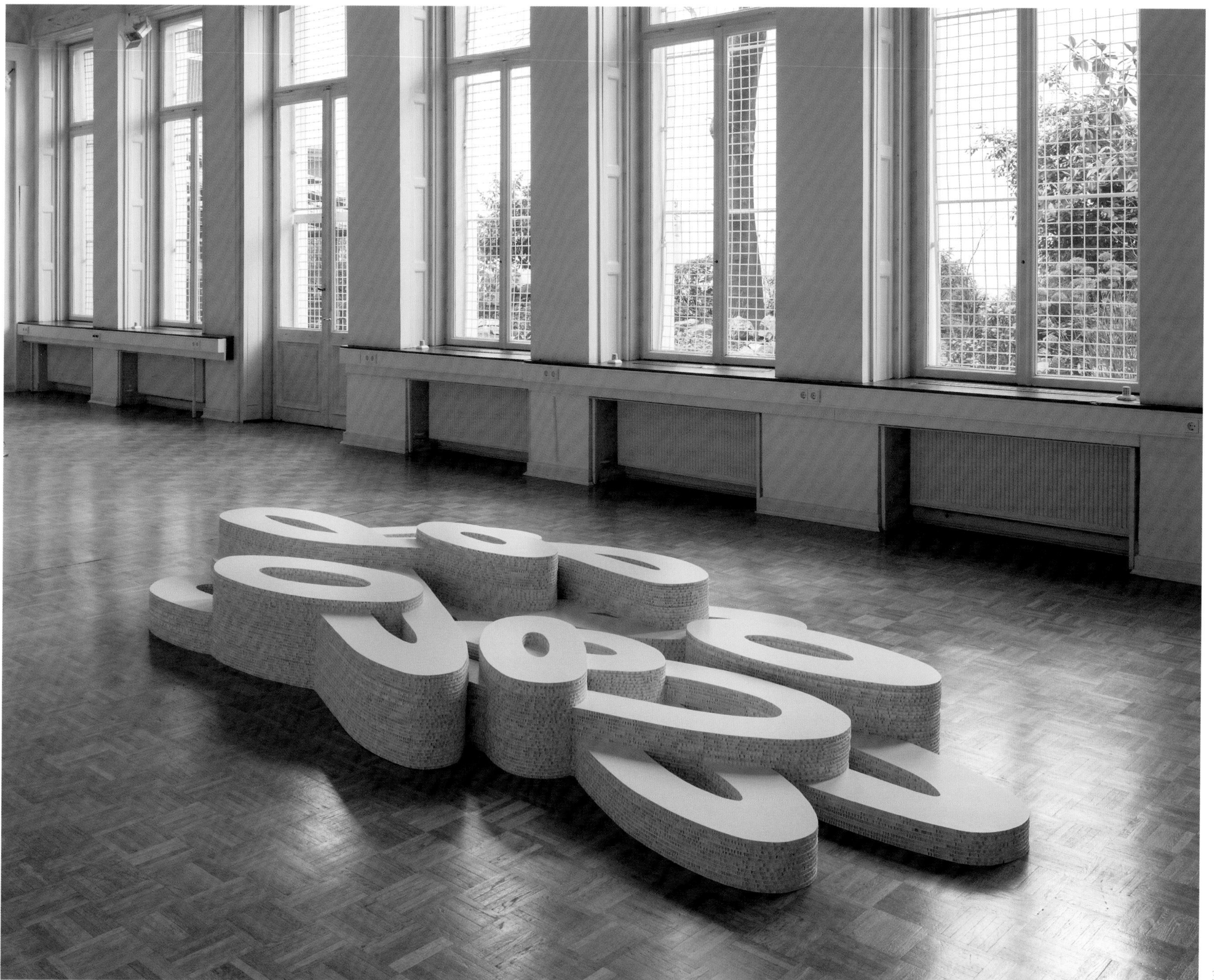

Raumskulptur, 2013/2014, Epoxidharz, Lack, ca. 100 x 500 x 1200 cm, Museum DKM

 Space Sculpture, 2013/2014, epoxy resin, paint, approx. 100 x 500 x 1200 cm, Museum DKM

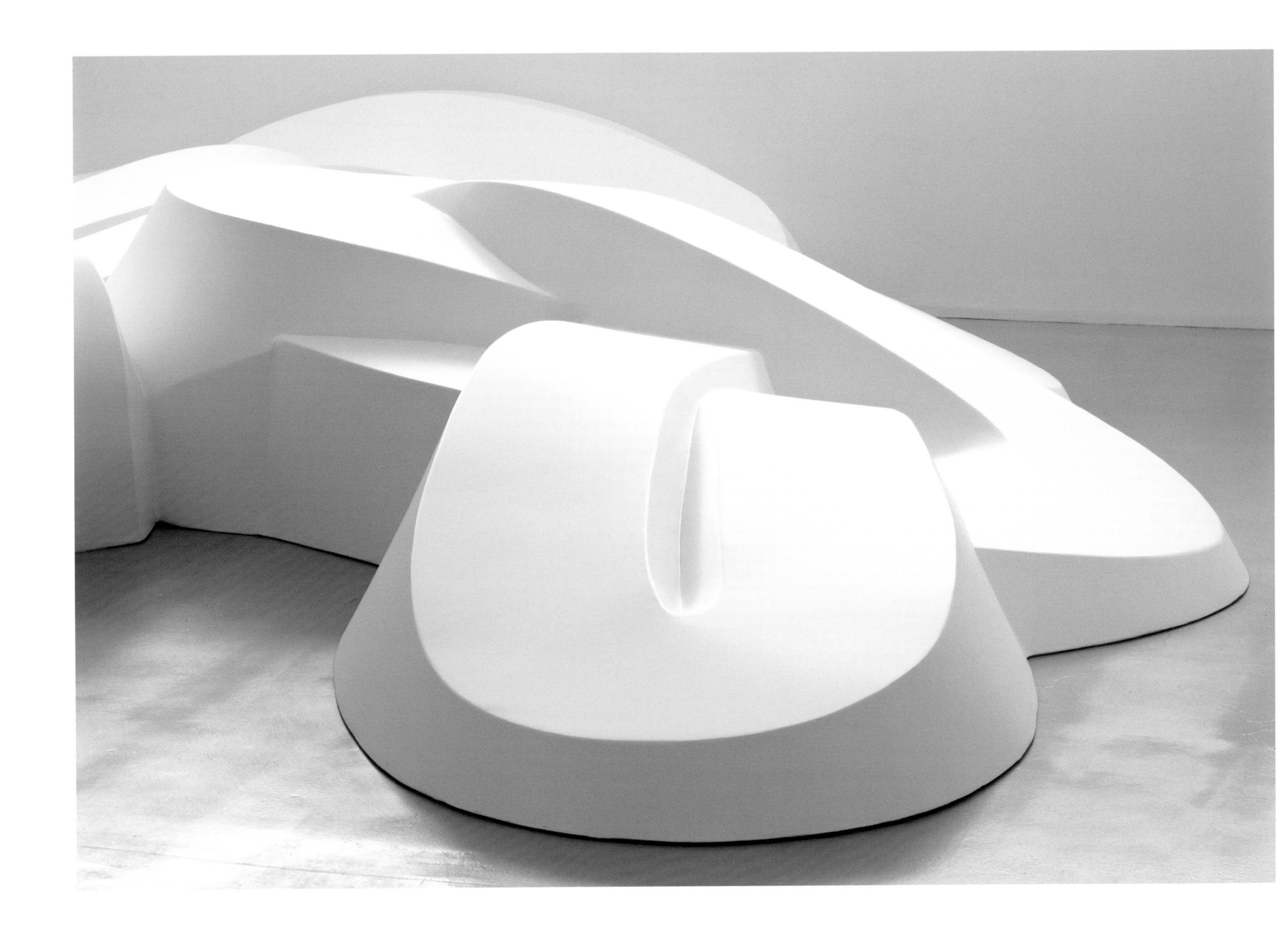

Dortmunder U, 2015

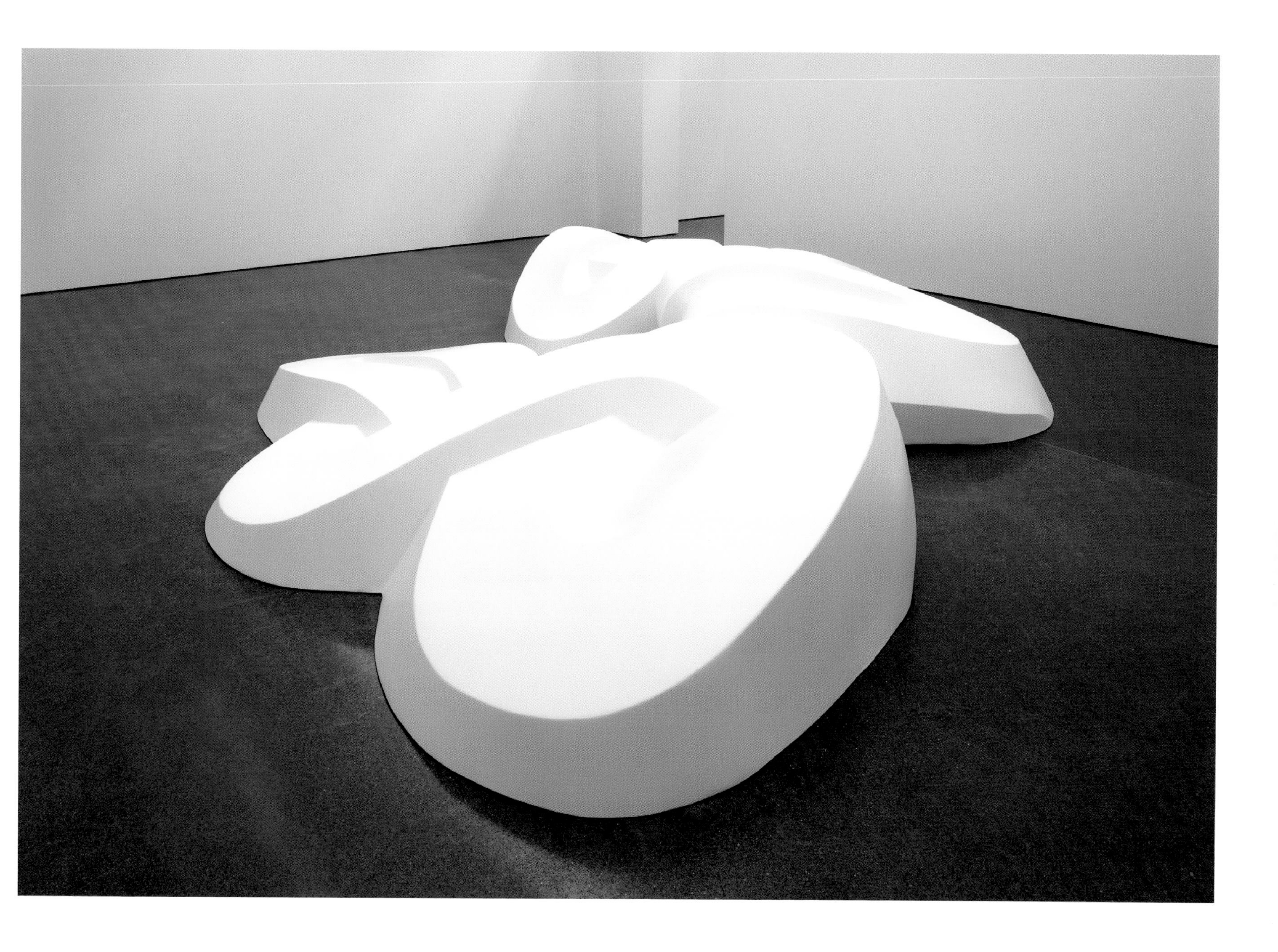

Ohne Titel, 2015, Epoxidharz, Lack, 100 x 500 x 600 cm
Untitled, 2015, epoxy resin, paint, 100 x 500 x 600 cm

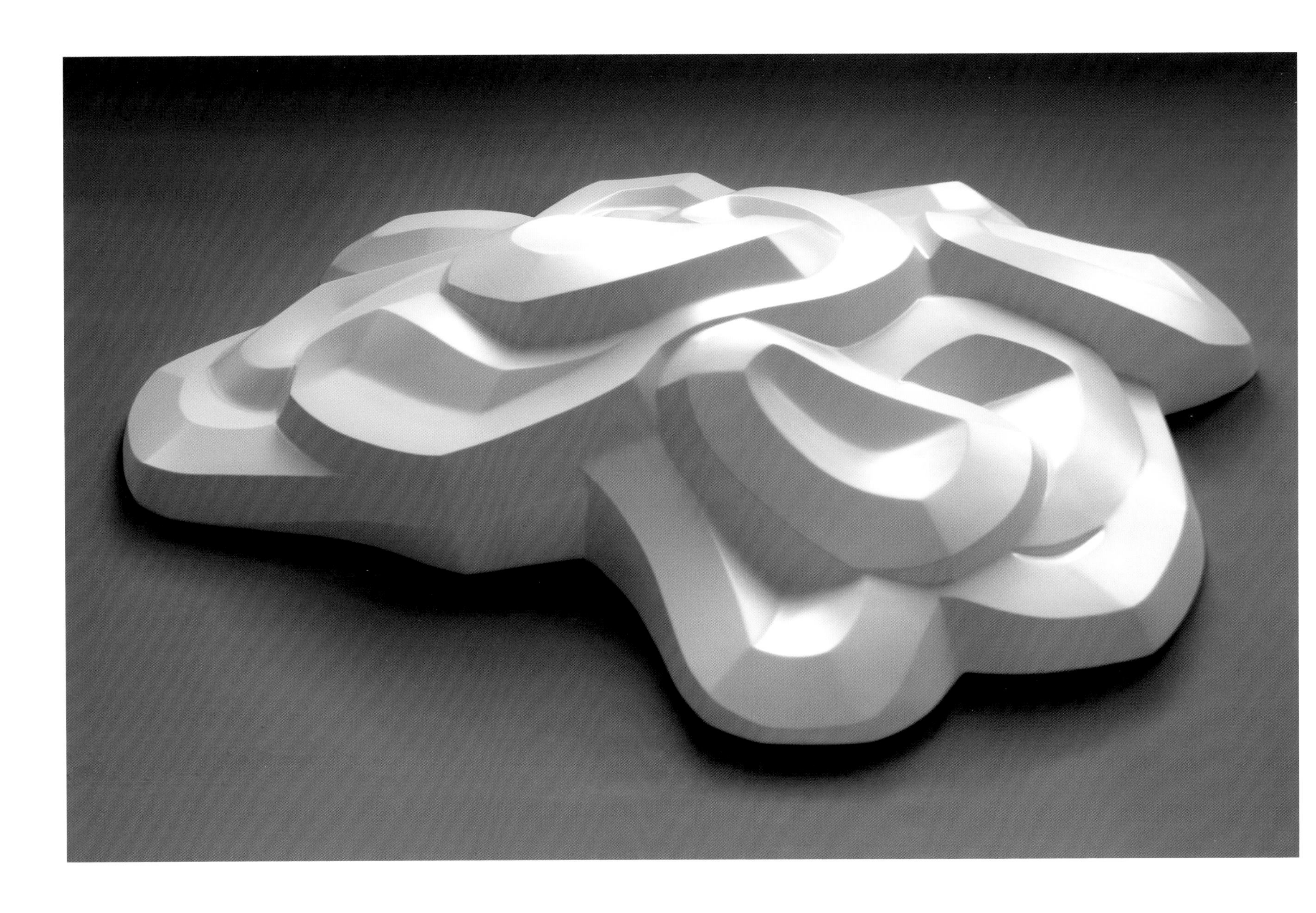

Gebogene Form 1, 2010, Kunststoff, Lack, 30 x 105 x 120 cm

Curved Form 1, 2010, plastic, paint, 30 x 105 x 120 cm

Kristalline Form 2 (als Modell für eine Skulptur im öffentlichen Raum), 2010, Kunststoff, Lack, 20 x 90 x 90 cm
Crystalline Form 2 (model for a public sculpture), 2010, plastic, paint, 20 x 90 x 90 cm

Gebogene Form 2, 2010, Kunststoff, Lack, 30 x 105 x 120 cm

 Curved Form 2, 2010, plastic, paint, 30 x 105 x 120 cm

Gelbe Skulptur 2, 2012, Gips, Lack, 40 x 50 x 90 cm
Yellow Sculpture 2, 2012, plaster, paint, 40 x 50 x 90 cm

Ohne Titel, 2012, Schlosspark Stammheim Köln, Epoxidharz, Glasgewebe, Lack, 80 x 300 x 300 cm

Untitled, 2012, Schlosspark Stammheim Cologne, epoxy resin, fiberglass, paint, 80 x 300 x 300 cm

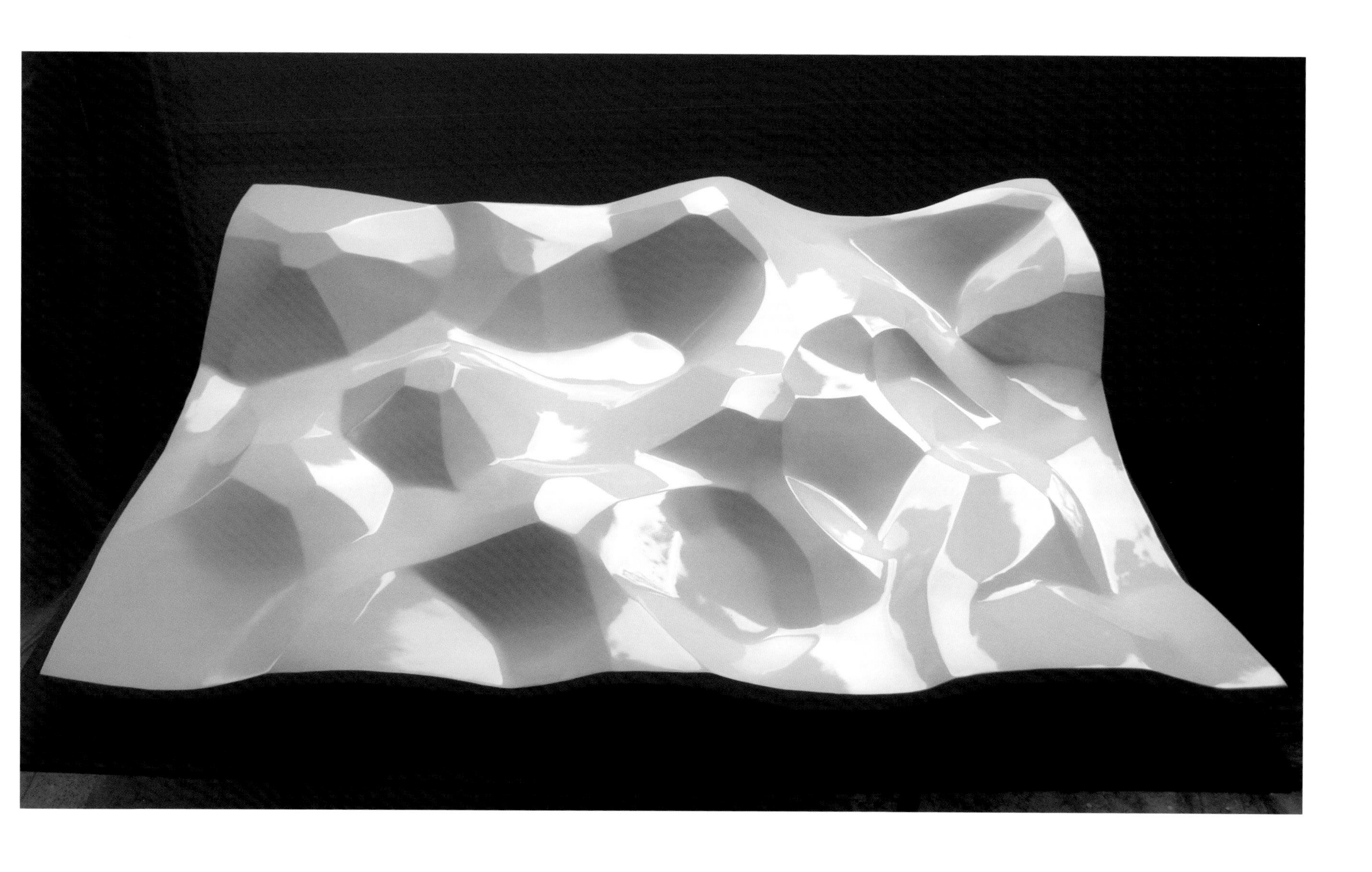

Weiße Skulptur, 2009, Gips, Lack, 90 x 90 x 30 cm
White Sculpture, 2009, plaster, paint, 90 x 90 x 30 cm

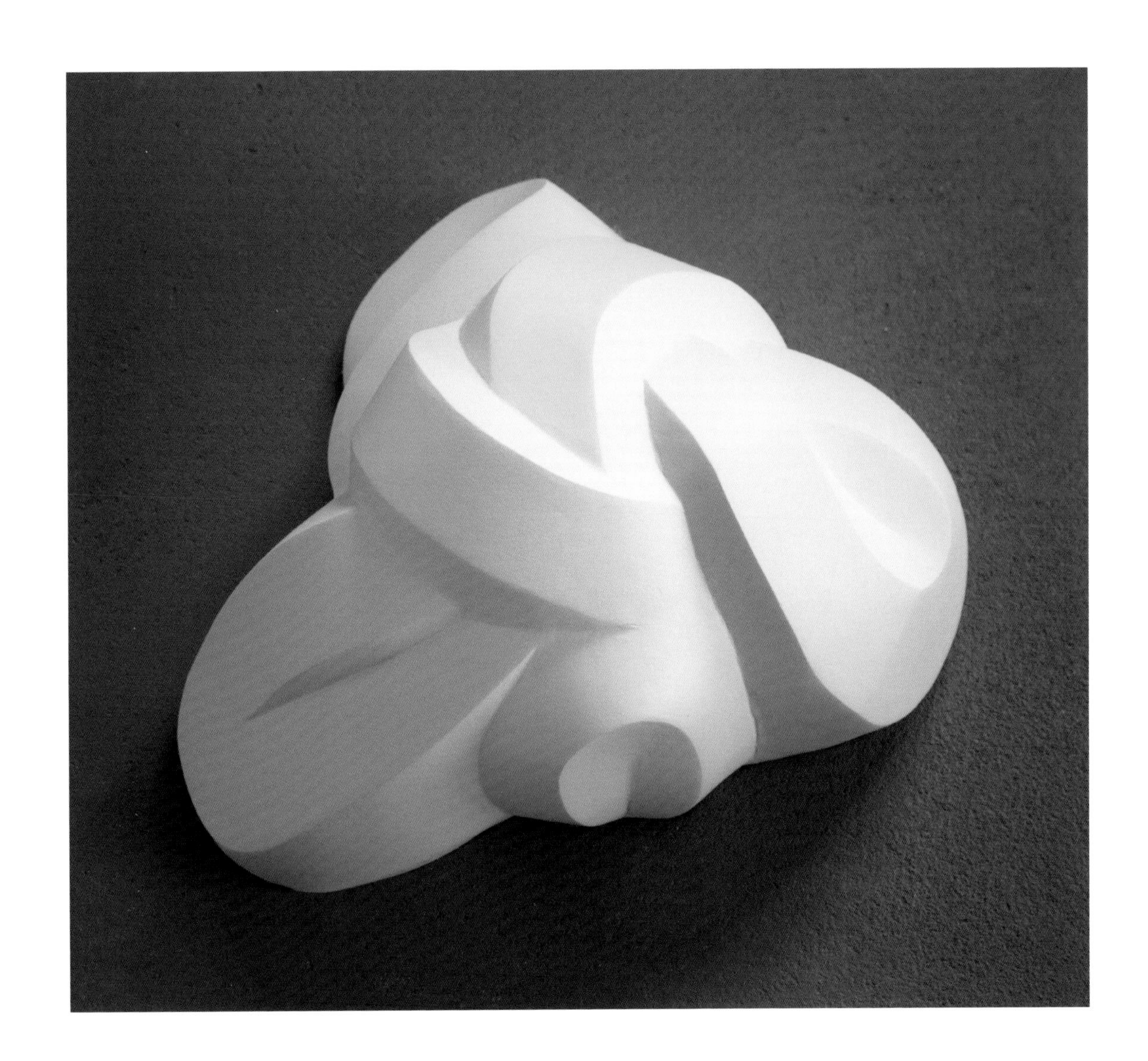

Knotenskulptur 1, 2013, Gips, Lack, 25 x 40 x 40 cm
Knot Sculpture 1, 2013, plaster, paint, 25 x 40 x 40 cm

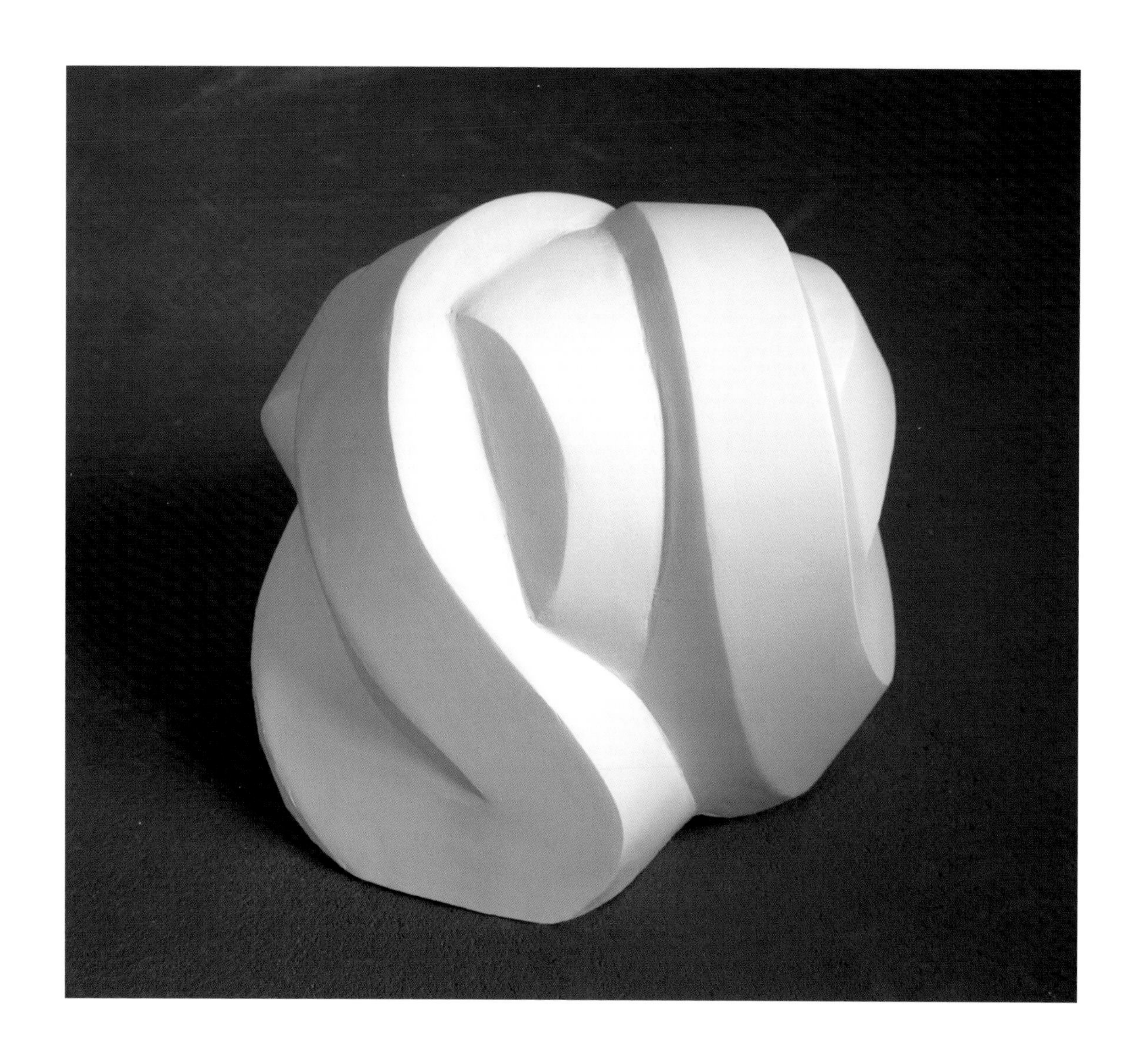

Knotenskulptur 2, 2013, Gips, Lack, 30 x 30 x 30 cm
Knot Sculpture 2, 2013, plaster, paint, 30 x 30 x 30 cm

Knotenskulptur 3, 2013, Gips, Lack, 25 x 30 x 30 cm
Knot Sculpture 3, 2013, plaster, paint, 25 x 30 x 30 cm

Knotenskulptur 4, 2013, Gips, Lack, 30 x 30 x 35 cm
Knot Sculpture 4, 2013, plaster, paint, 30 x 30 x 35 cm

Raumskulpturen, Kunstverein Leverkusen, 2009
Einzelausstellung

Space Sculptures, Kunstverein Leverkusen, 2009
Solo exhibition

Raumskulpturen, 2009, Styropor, Gips
Space Sculptures, 2009, Styrofoam, plaster

Raumskulpturen, Kunstverein Leverkusen, 2009, Styropor, Gips

Space Sculptures, Kunstverein Leverkusen, 2009, Styrofoam, plaster

Zeichnungen, 2008, je 21 x 28 cm
Drawings, 2008, each 21 x 28 cm

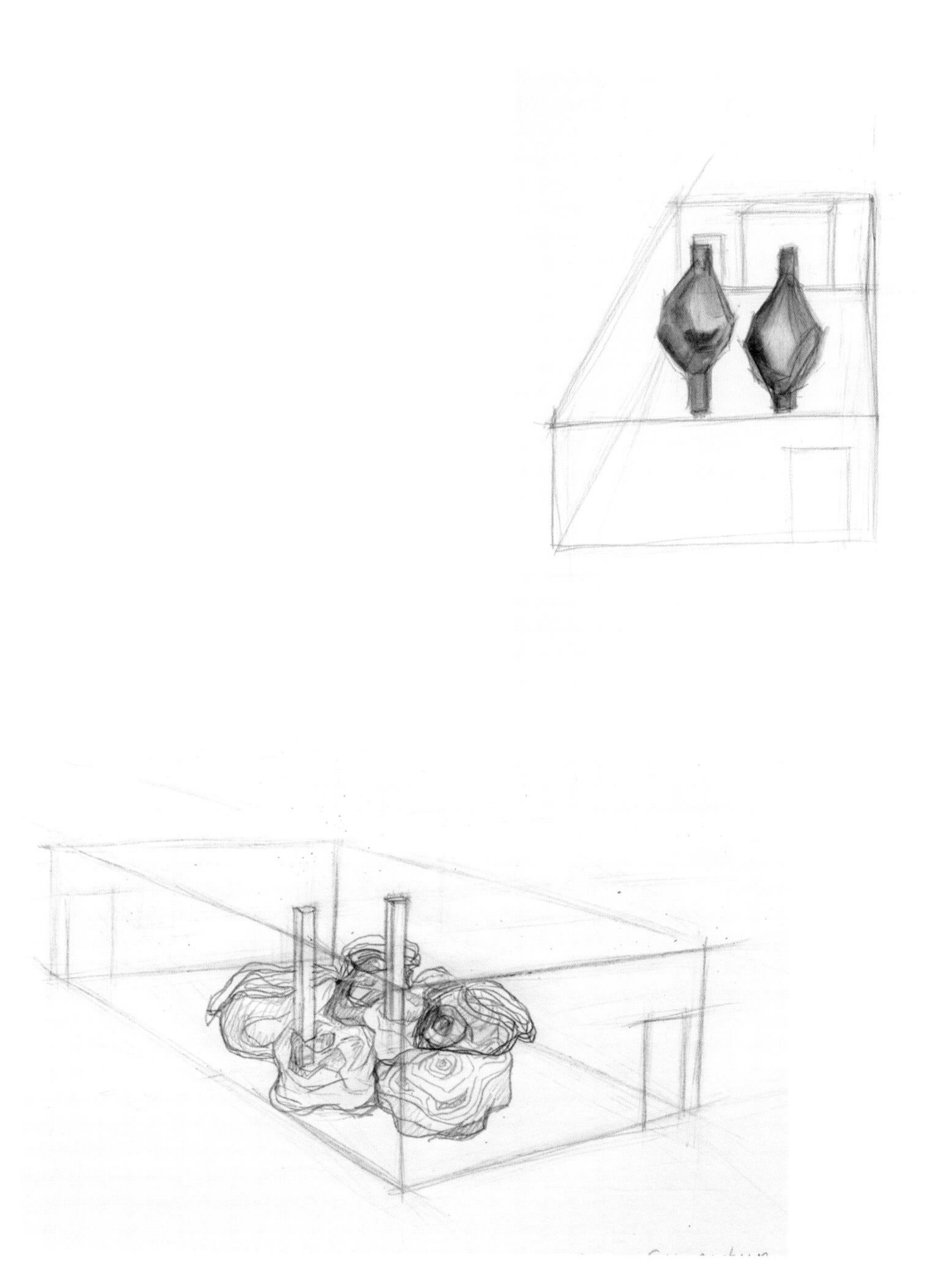

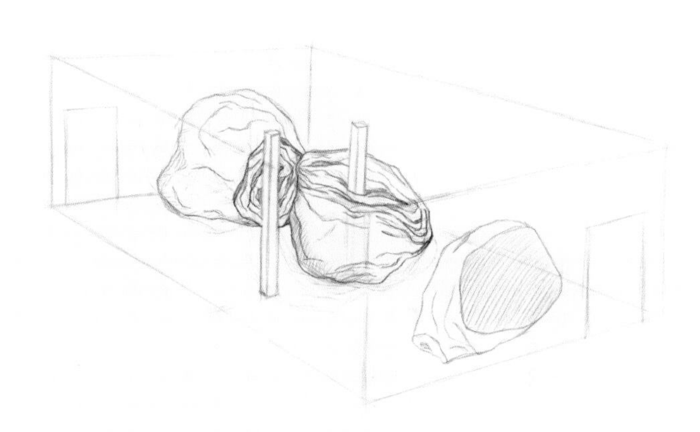

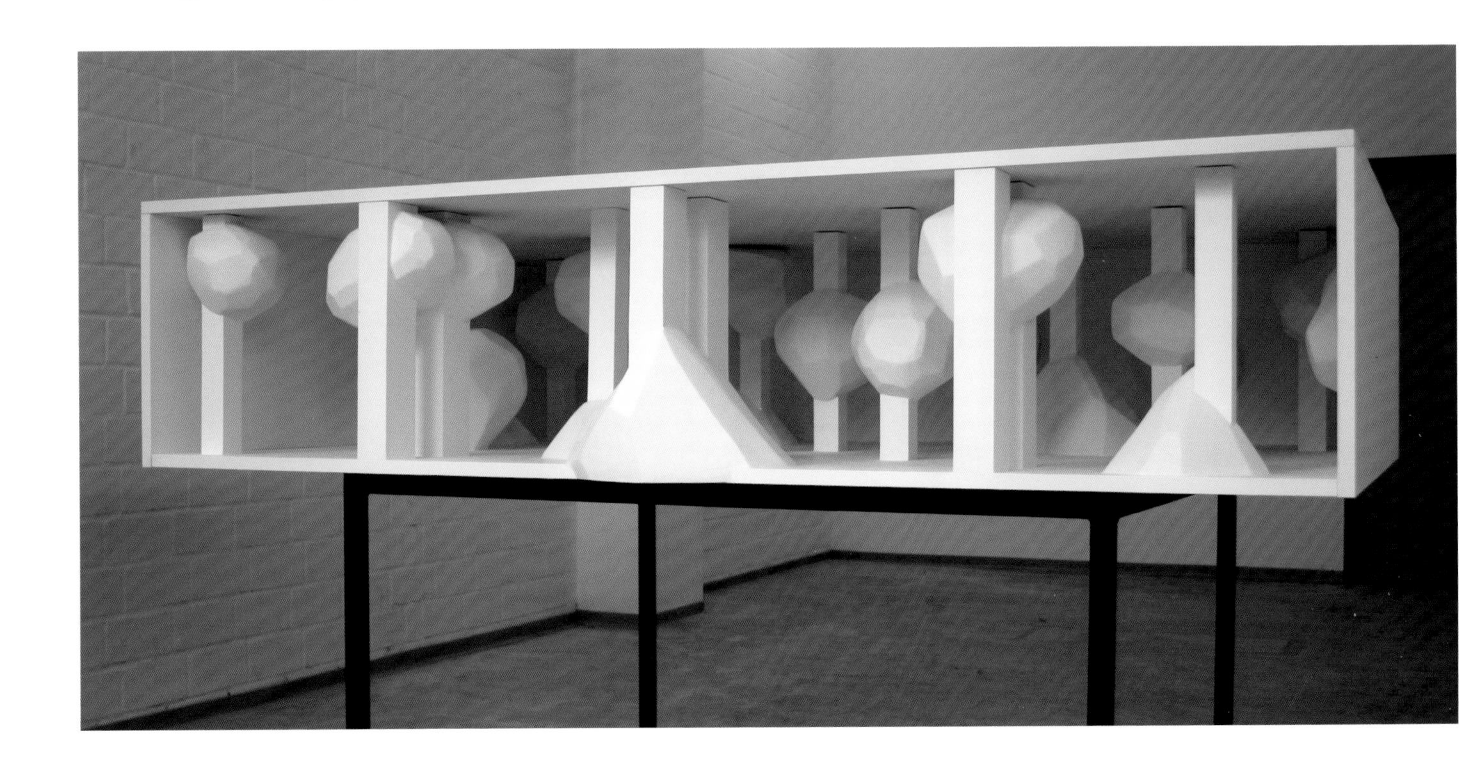

Raumobjekt mit weißen Formen an den Pfeilern, 2007, Holz, Gips, 42 x 128 x 128 cm

 Space Object with white forms on pillars, 2007, wood, plaster, 42 x 128 x 128 cm

Ausstellungsansicht, Kunstpreis junger westen 2007,
Kunsthalle Recklinghausen
Exhibition view, Kunstpreis junger westen 2007,
Kunsthalle Recklinghausen

Goldene Skulptur, 2009, Gips, Schlagmetall, Holz, 40 x 100 x 750 cm
Golden Sculpture, 2009, plaster, sheet metal, wood, 40 x 100 x 750 cm

Raumobjekt mit blauer Fläche, 2009, Holz, Kunststoff, Lack, 31 x 124 x 84 cm
Space Object with Blue Surface, 2009, wood, plastic, paint, 31 x 124 x 84 cm

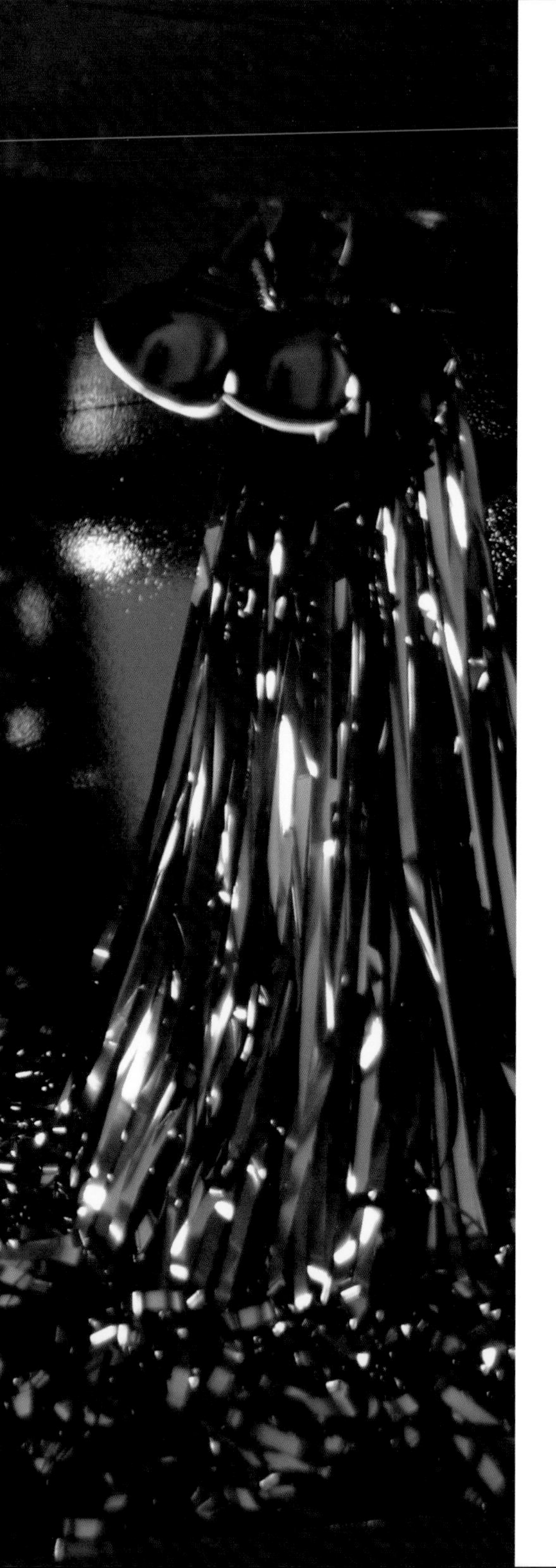

Raumobjekt mit Audiobändern, 2006, Holz, Lack, Audiobänder, Lampen, 40 x 92 x 42 cm
Space Object with Audio Tape, 2006, wood, paint, audio tapes, lamps, 40 x 92 x 42 cm

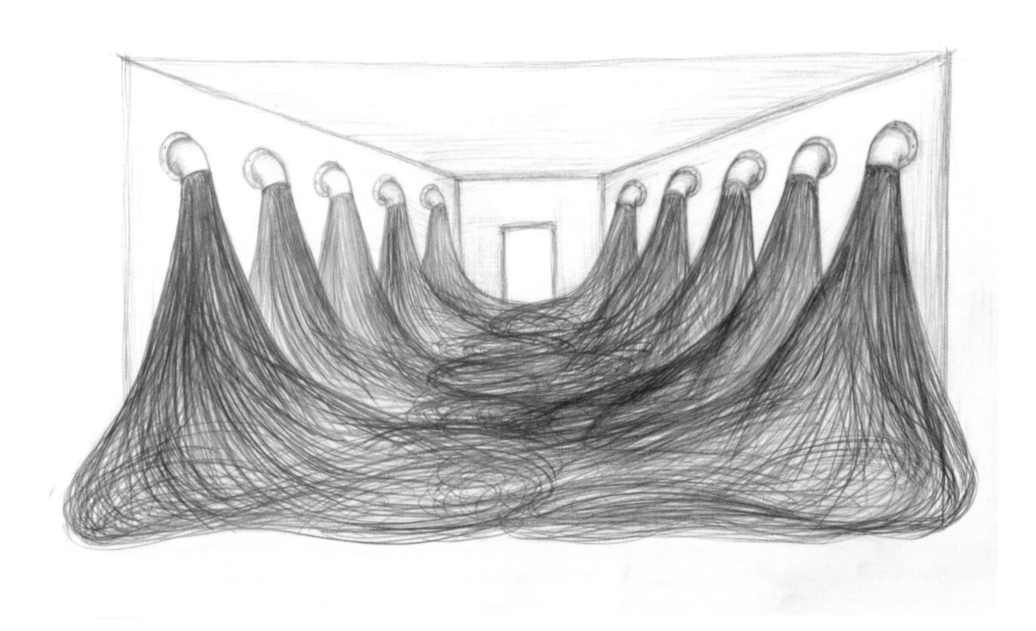

Ohne Titel, Kunstverein Peschkenhaus Moers, 2005, Kunststoffrohr lackiert, Videobänder, 300 x 200 x 150 cm

Untitled, Kunstverein Peschkenhaus Moers, 2005, painted plastic tubing, video tape, 300 x 200 x 150 cm

Ohne Titel,

Regenhaus, Wewerka Pavillon, Münster 2004 / 2005
Einzelausstellung

Regenhaus (Rainhouse), Wewerka Pavillon, Münster 2004 / 2005
Solo exhibition

Regenhaus, 2004, Wewerka Pavillon, Münster,
Lichtinstallation, Wasser, Pumpen, Lampen, Projektionsfolie
Rainhouse, 2004, Wewerka Pavillon, Münster,
light installation, water, pumps, lamps, projection foil

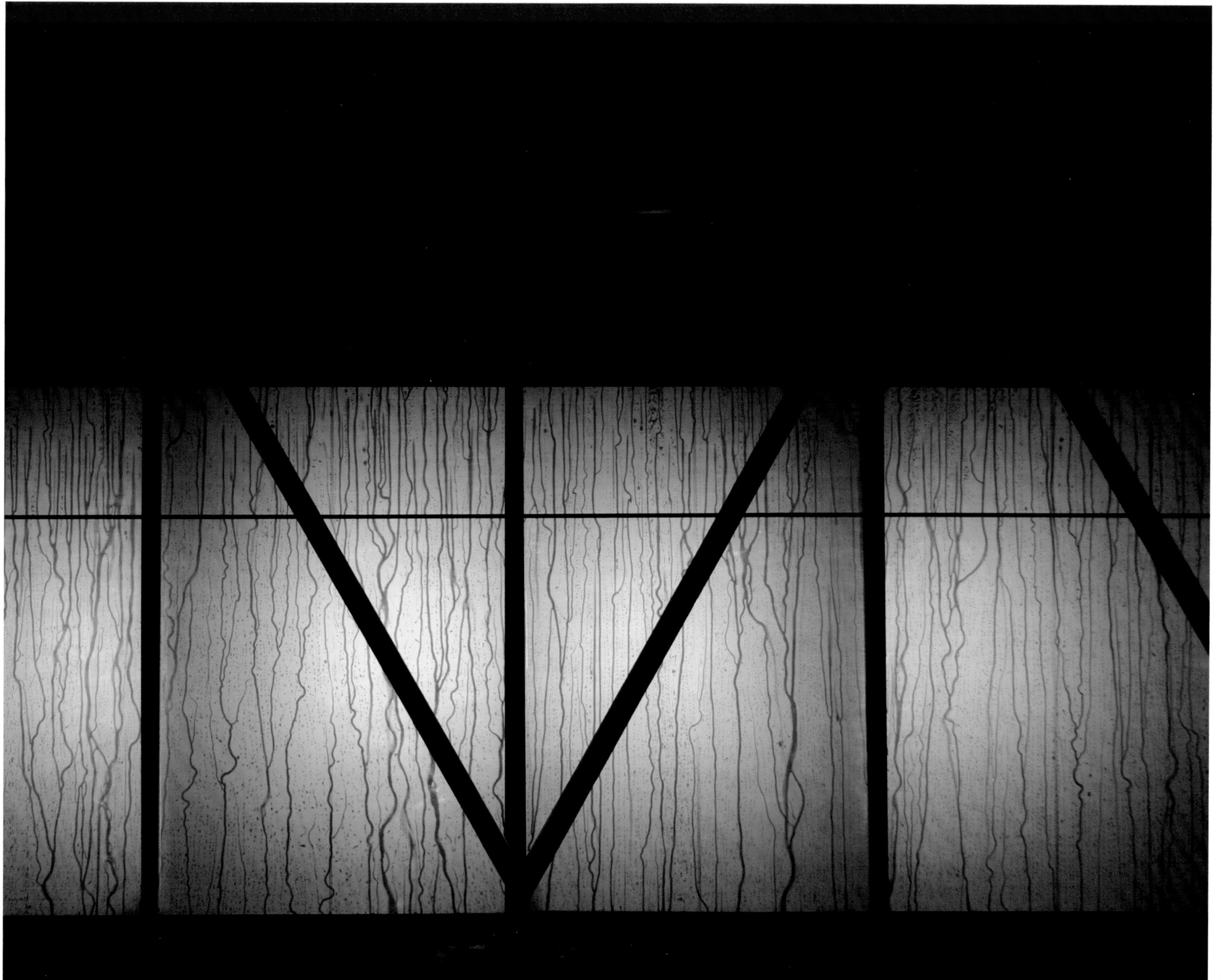

Regenhaus, 2004, Wewerka Pavillon, Münster, Aufbau
Rainhouse, 2004, Wewerka Pavillon, Münster, installation

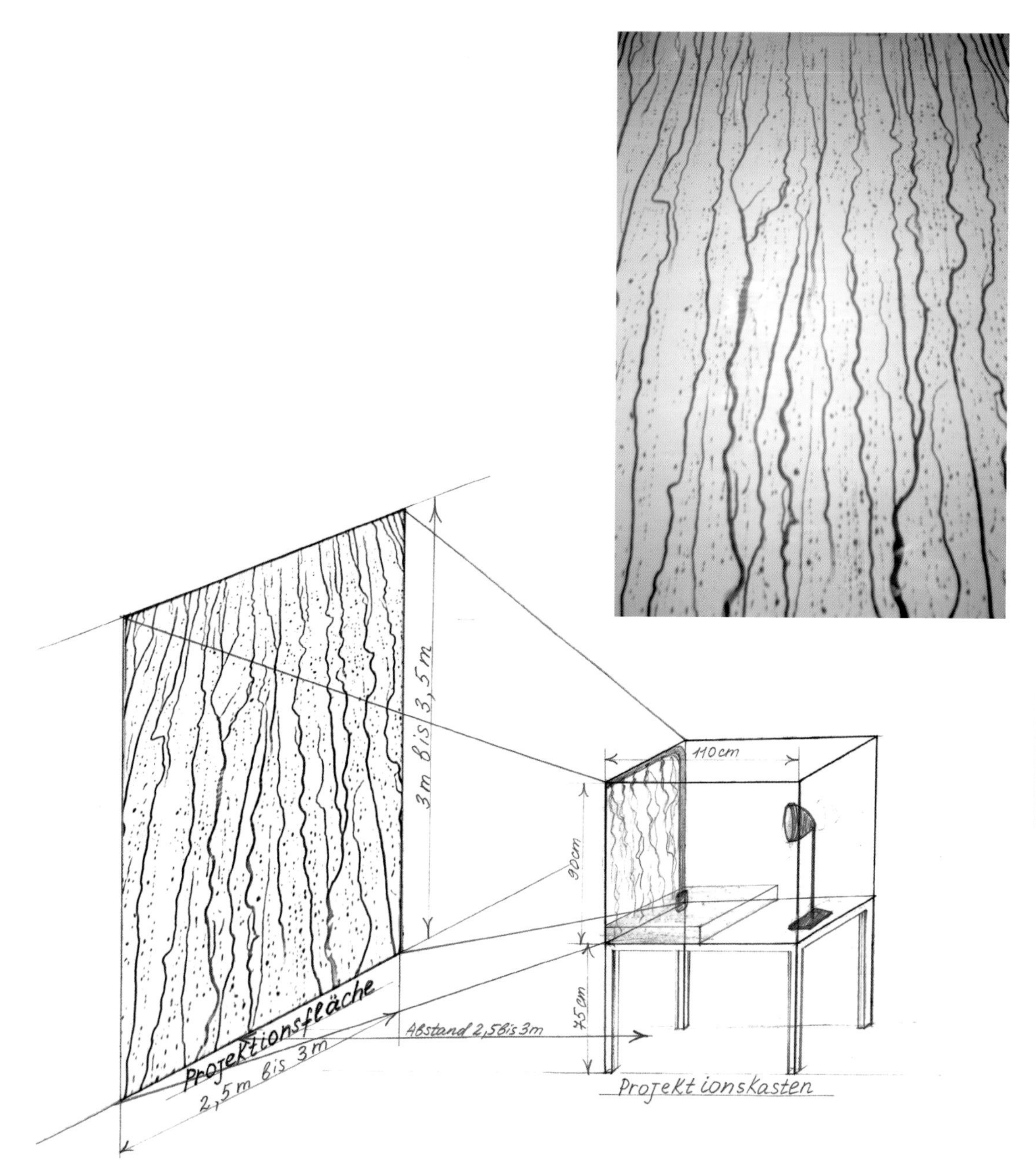
3m bis 3,5m
110cm
90cm
75cm
Projektionsfläche
2,5m bis 3m
Abstand 2,5 bis 3m
Projektionskasten

Lichterfluss, Stiftung DKM, Duisburg, 2006 / 2007
Einzelausstellung

Lichterfluss (River of Lights) Foundation DKM, Duisburg, 2006 / 2007
Solo exhibition

Lichterfluss, 2006 / 2007, Stiftung DKM, Duisburg,
Lichtinstallation, Wasser, Pumpen, Lampen, Projektionsfolie
River of Lights, 2006 / 2007, Foundation DKM, Duisburg,
Light installation, water, pumps, lamps, projection foil

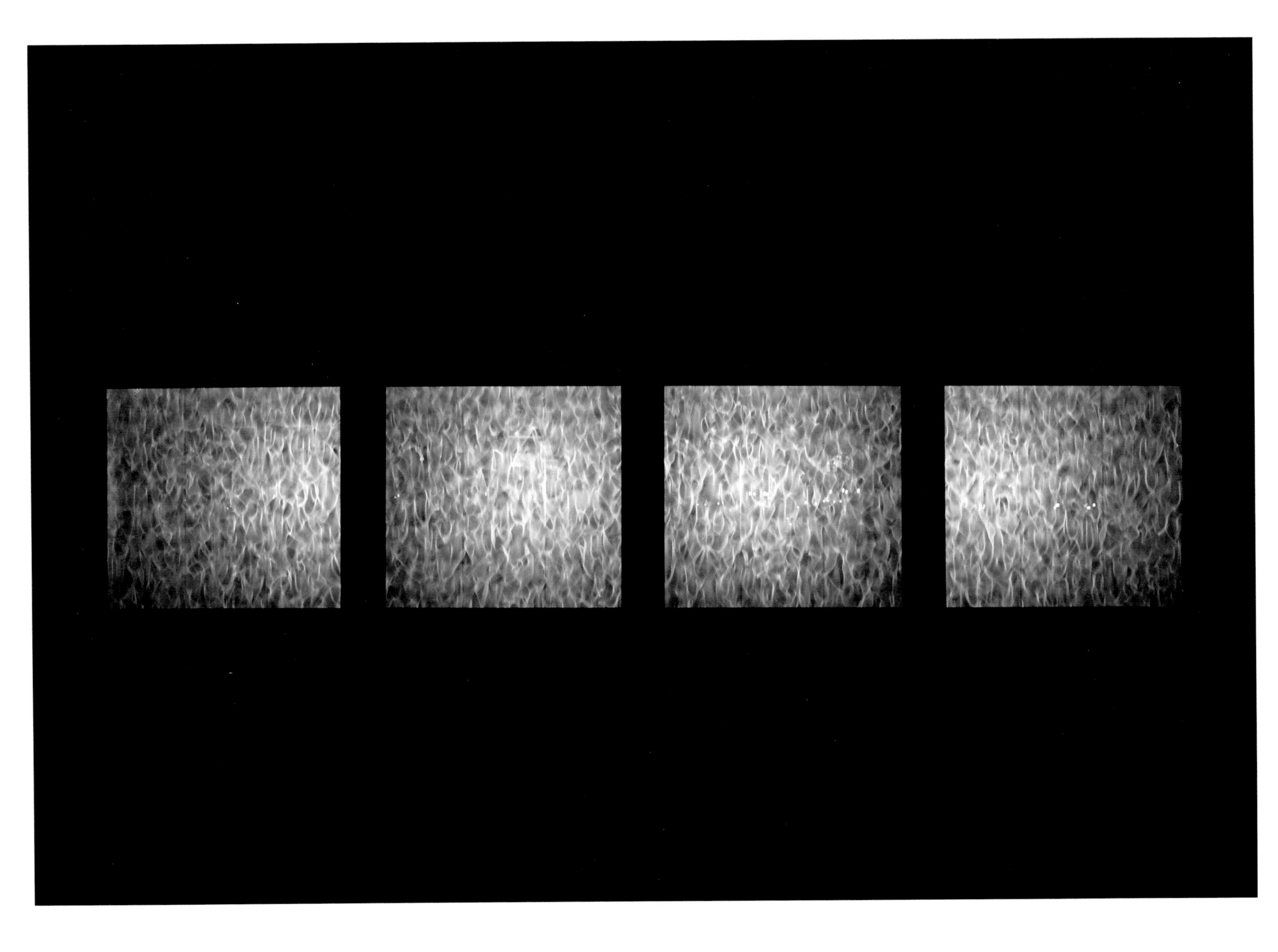

Lichterfluss, 2006 / 2007, Stiftung DKM, Duisburg, Lichtinstallation, Wasser, Pumpen, Lampen, Projektionsfolie

River of Lights, 2006 / 2007 ,Foundation DKM, Duisburg, Light installation, water, pumps, lamps, projection foil

Gezeichnete Form 2, 2015, Draht, Schlagmetall, 20 x 25 x 6 cm

 Drawn Form 2, 2015, wire, heet metal, 20 x 25 x 6 cm

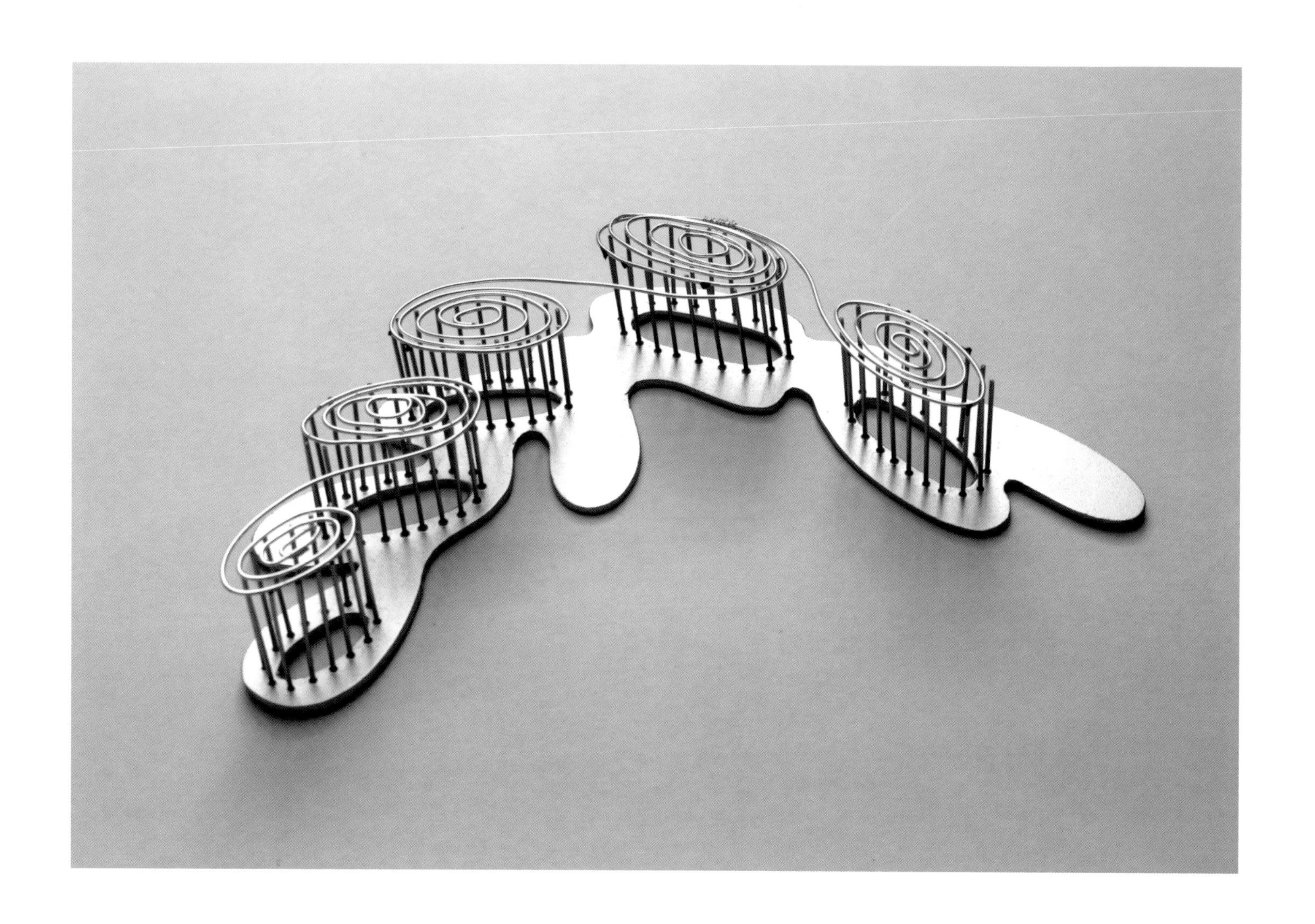

Gezeichnete Form 3, 2014, Draht, Schlagmetall, 6 x 20 x 4 cm
Drawn Form 3, 2014, wire, sheet metal, 6 x 20 x 4 cm

Gezeichnete Form 4, 2015, Draht, 15 x 12 x 25 cm
Drawn Form 4, 2015, wire, 15 x 12 x 25 cm

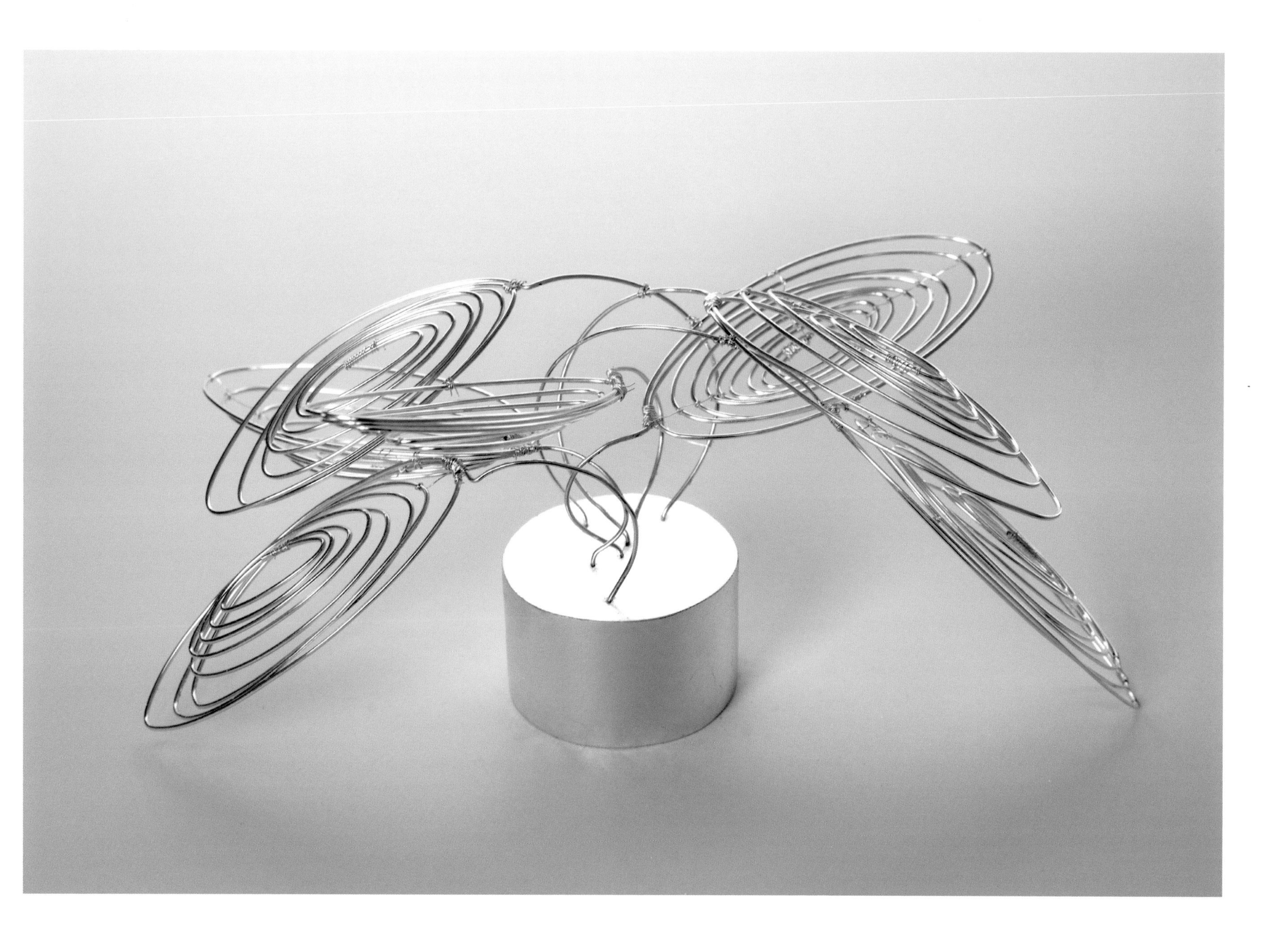

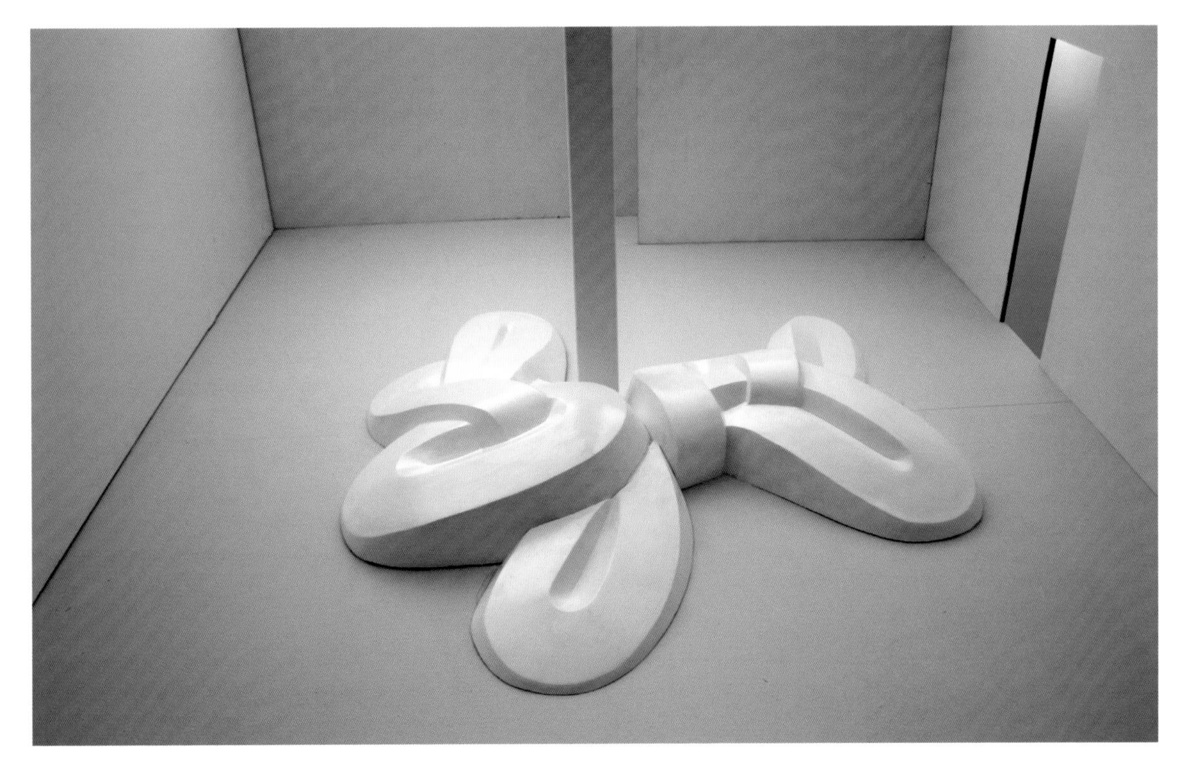

Entwurf für eine geschichtete Skulptur, 2011
Design for a Layered Sculpture, 2011

Entwurf für eine Raumskulptur, 2014
Design for a Space Sculpture, 2014

(oben) Entwurf für eine Wandzeichnung, 2011
(top) Design for a wall drawing, 2011

(unten) Entwurf für eine Bodenzeichnung (Formen aus Teppich ausgeschnitten), 2011
(bottom) Design for a floor drawing (shapes cut from carpet), 2011

Zeichnungen, 2011, je 21 x 28 cm

 Drawings, 2011, each 21 x 28 cm

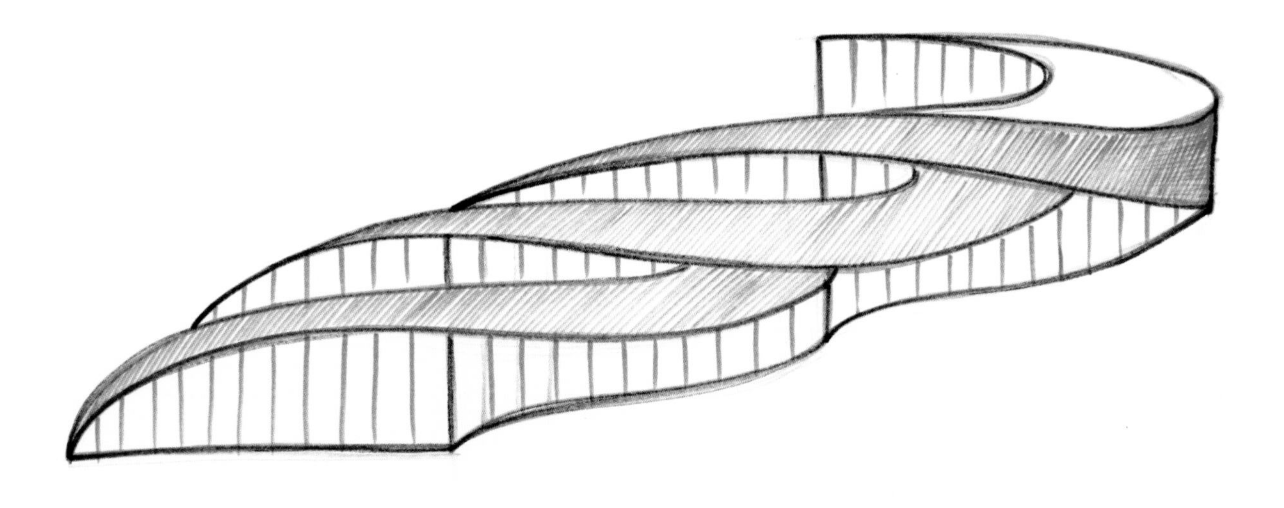

Zeichnung, 2011, 29 x 42 cm
Drawing, 2011, 29 x 42 cm

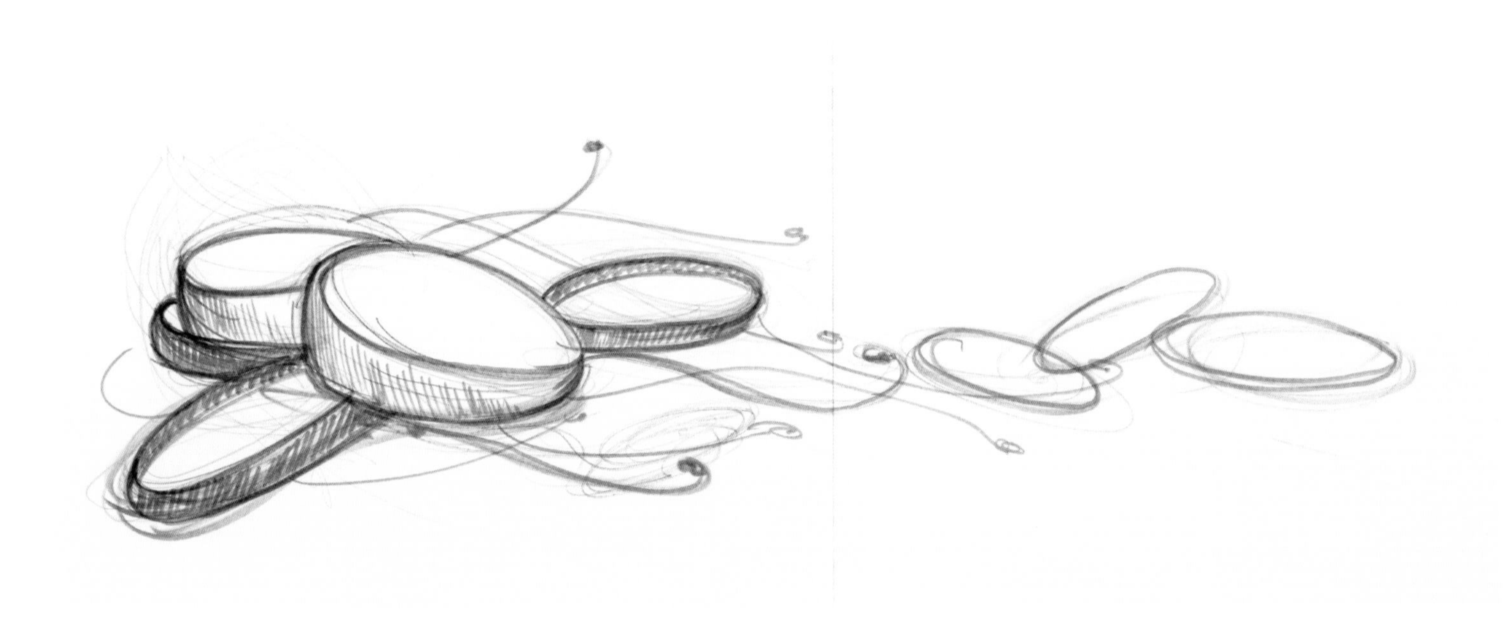

Zeichnungen, 2011, 42 x 56 cm und 29 x 28 cm

Drawings, 2011, 42 x 56 cm and 29 x 28 cm

Zeichnungen, 2011, je 21 x 28 cm
Drawings, 2011, each 21 x 28 cm

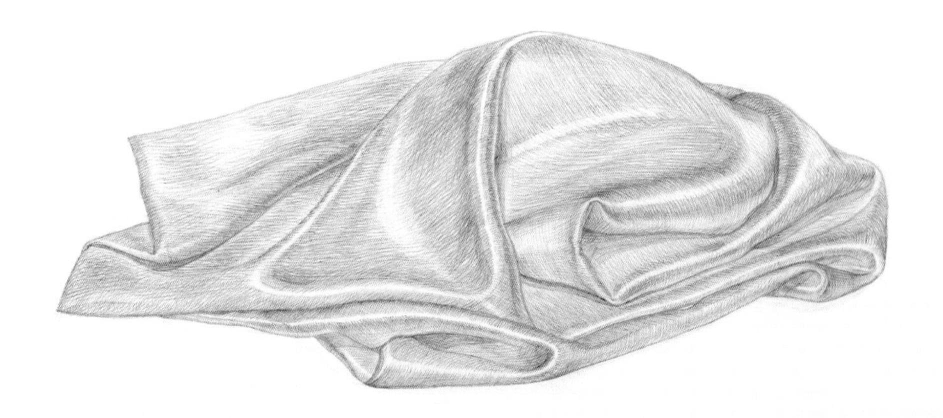

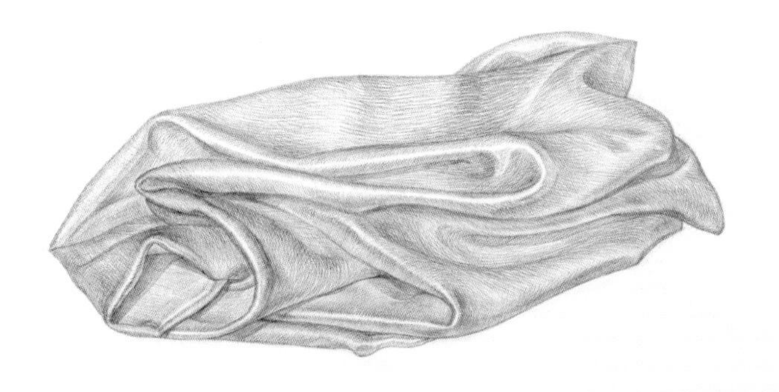

Zeichnungen, 2009, je 21 x 28 cm
Drawings, 2009, each 21 x 28 cm

Zeichnung, 2009, 29 x 42 cm
Drawing, 2009, 29 x 42 cm

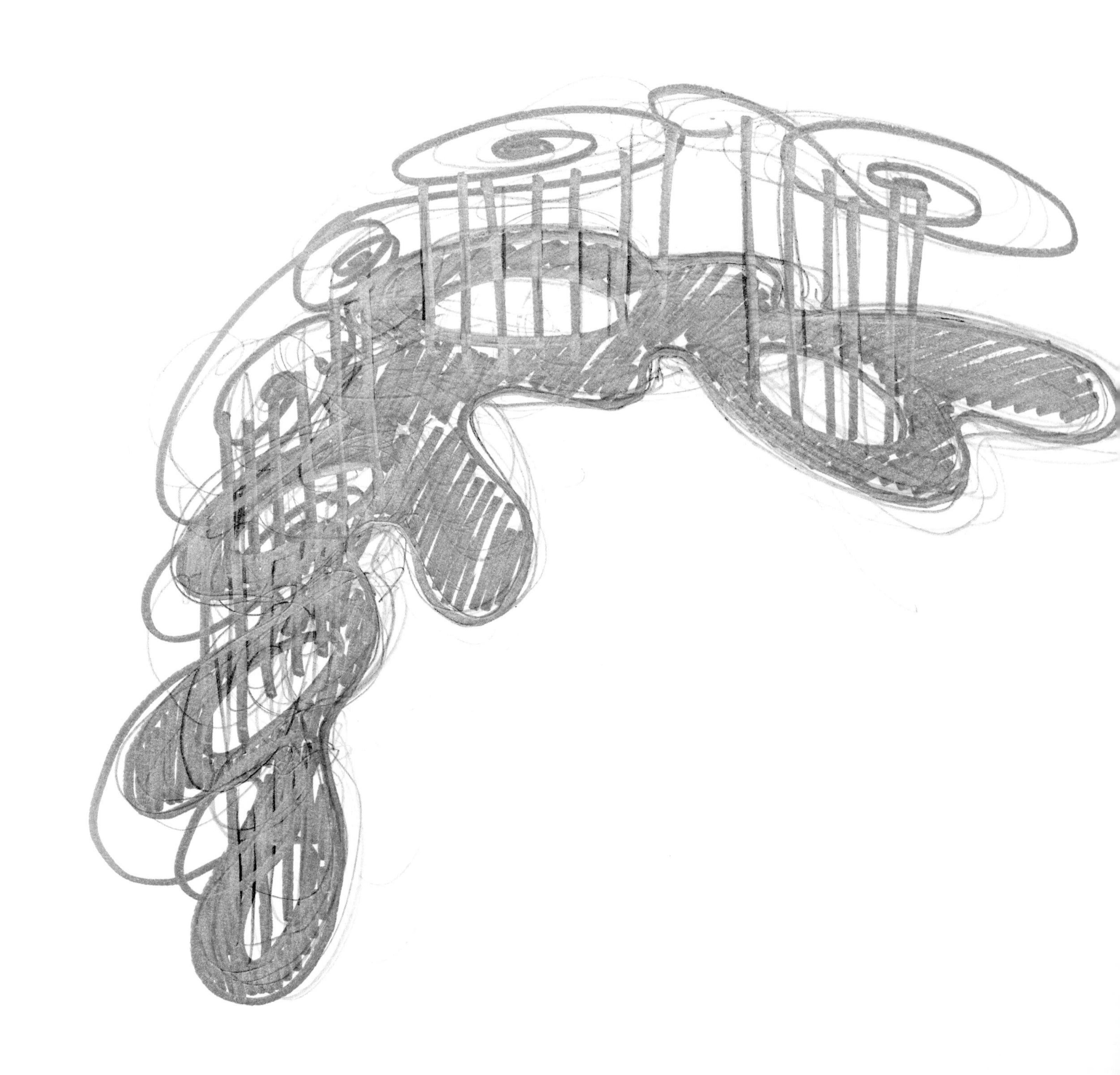

Yevgeniya Safronova
Sculpture and installation works 2004–2016

It isn't easy assert oneself in the heavily saturated field of contemporary sculpture—a genre that, like almost no other, has seen radical changes over the past 100 years.[1] And yet even as a student at the art academy in Münster, artist Yevgeniya Safronova managed to develop a unique, distinctive sculptural language all her own. While assembling objects, revealing processes of fabrication and construction define the work processes of sculptors such as Richard Deacon or Leunora Salihu, and others such as Tony Cragg or Gereon Krebber draw strongly on the material and its properties to develop their work, Yevgeniya Safronova remains connected to a rather classic concept of sculpture in the tradition of Hans Arp, Constantin Brancusi and Henri Moore.

Yevgeniya Safronova deals with fundamental issues in sculpture, which she often works on in a series, along with questions having to do with how a sculptural volume relates to space, surface, contour, repetition and movement. The forms she develops are imaginary but also contain echoes of the natural or human-made, giving them the strange quality of seeming both alien and faintly familiar at the same time. Many of Safronova's sculptures could be described as crystalline, honeycomb or knot-like, while others resemble snares or loops. Smaller-format works are made with plaster or plastic; large-scale pieces are realized with epoxy resin, for example.

Safronova develops her three-dimensional shapes in the medium of drawing. A work in its early stages might resemble a real object, which is then abstracted in the drawing process. Not infrequently, this process is followed by conversion to a clay model that, once confirmed, is enlarged to scale with the help of templates. In this sense, Safronova's work process is as unreservedly craftsman-like as it is time-consuming, and demands a high degree of precision and skill. The artist has engaged intensively with the space-changing quality of sculpture since as early as her time at the academy, creating structures that—rather than work autonomously in space—adhere to walls, floors or columns like growths or protuberances on the architectural shell, or appear to grow directly out of it. These generously-sized formal compositions show Safronova's sculptural concepts to full effect: complex forms create sculptural landscapes, appearing in endlessly new constellations depending on the viewer's position in space. Light gathers on the sometimes edgy, sometimes softly fractured, usually gleaming white surfaces, producing various shadows and lending the work an almost painterly effect.

Light installations 2004–2007

Yevgeniya Safronova has focused on the primacy of the visual in sculpture from the start, which explains her oeuvre's characteristic emphasis on surface. It stands to reason that the former master's student of painter Ulrich Erben received her postgraduate degree in 2005 not for a sculptural work, but for *Regenhaus* ("Rainhouse"), a light installation for the Wewerka Pavillon on Aasee Lake in Münster. The artist converted the glass shell of the architecture into a projection surface, creating a baffling spectacle: as darkness set in, the house began to glow from the inside, revealing what appeared to be rain shower *within* the building, with rainwater streaming down the inside of its large glass windows. Only at second glance did a viewer realize that these rivulets were in fact an illusion, and that the rain rolling off was really a projection onto the glass panes. Descending in drops and delicate threads, the falling water was as even as it was erratic, creating a fascinating shadow play with light sources concealed inside the building.[2]

1 Cf. Sabine B. Vogel, "Grenzenlose Skulptur. Ein Überblick über das Skulpturale heute," [Boundless Sculpture: A Survey of the Sculptural Today] in: Kunstforum, Issue 229 (Oct/Nov 2014): 28.

2 Cf. Ferdinand Ullrich, *Yevgeniya Safronova. Regenhaus*. Münster 2004, 58.

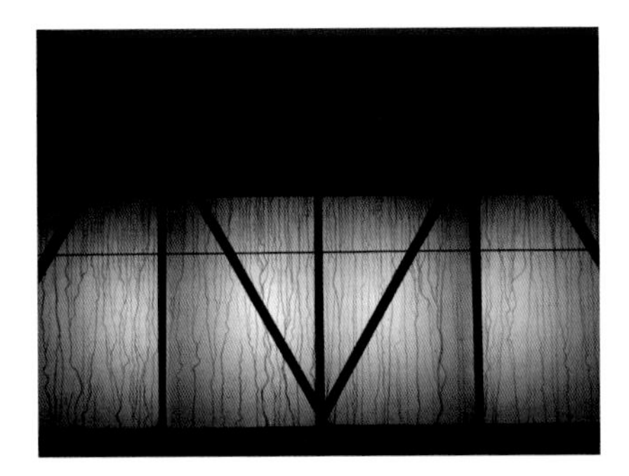

Rainhouse, Wewerka-Pavillon, Münster, 2004

Safronova's work on *Regenhaus* began with covering parts of the all-glass Wewerka Pavillon with black foil. Then for each of the 18 remaining window surfaces, she constructed a large box-projector containing a sheet of glass lit from behind by a strong spotlight. The illusion of rain rolling down the large windows was accomplished via a complicated system of pumps, punctured hoses and water mixed with various substances to make the downward flow as linear possible. The non-black windows were covered with a milky projection foil, and because visitors could not actually enter the pavilion (only walk around it as they would a sculptural object) the cause of these peculiar events was obscured from view. As a whole, the installation could be regarded as a three-dimensional object, although the projection also had an inherently painterly effect that recalled, among other things, Jackson Pollock's "drippings."[3] In shifting rainfall to the inside of an architectural enclosure, Safronova created a poetic, enigmatic and surreal image in the middle of the Münster parkland.

Safronova elaborated the "Rainhouse" concept the following year for an exhibition at Galerie DKM in Duisburg's Inner Harbor. The installation *Lichterfluss* (River of Lights) also came to life at dusk, when the four, large museum windows facing Dani Karavan's *Garten der Erinnerung* ("Garden of Remembrance") to started to glow. Dense streaks of water streamed down the panes in dazzling gradations, lit from behind by a strong light source in the interior of the building. Like a flickering curtain, the play of light unfolded as a relentless downward flow on the windows, captivating the eye to meditative, mesmerizing effect.

For *Lichterfluss* ("River of Lights"), Safronova constructed another set of large projection boxes for each of the available windows, which again were covered with a milky projection foil. She did however make a few crucial changes that altered the effect: the water was now distributed by means of a trough that spilled liquid over the entire surface of the glass inside the box, and this sheet of glass was also tilted at an angle to allow for an even flow. A little, motorized hammer made of plastic knocked on the glass in a regular rhythm, interrupting the steady flow of water to achieve a kind of flicker effect.

While the *Regenhaus* illusion still closely resembled the natural phenomenon of a rain shower and the individual rivulets of water were immediately recognizable as such, the *Lichterfluss* produced a more abstract impression that the viewer could only roughly identify as running water, and the artist's own creative intent was all the more apparent. The association with nature was de-emphasized in favor of a primarily aesthetic experience that particularly stressed the continuous moment of motion in downward flow, as well as the fascinating play of light.

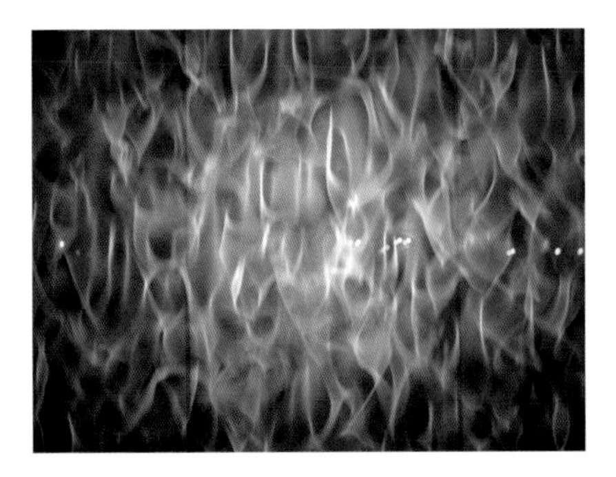

River of Lights, Foundation DKM Gallery, 2006-2007

Despite or perhaps because of their highly painterly effect, both of the technically elaborate installations *Regenhaus* and *Lichterfluss* already show features that have been crucial to all of Safronova's sculptural work to this day. Both the play of light and shadow and as well as the study of movement and repetition remain important constants of her sculptural oeuvre. Even the looming ambivalence of chance and certainty, of regularity, rhythm and deviation and the interface between natural and human-made materiality are mainstays of her artistic discourse. Likewise, the targeted modification of an architectural enclosure and the idea of the "total" composition, achieved particularly with the Wewerka Pavillon, are two other prominent interests that appear most often in works Safronova realized between 2006 and 2009.

Installations and "Space Sculptures" 2006–2009

While a viewer of the *Regenhaus* or *Lichterfluss* installations was confron-ted with the projected image of a process, and hence a mediated reality without being able to see the actual events or the experimental setup created to produce the effect, Safronova's 2005 piece at Peschkenhaus in Moers (which also played out as a series of drawings and a model) had reality pouring into the

3 Ibid.

showroom. The material she chose for the work replaced the poetic, surreal effect of the Münster installation with a far uncannier mood.
As early as 2002, in an early work made during her studies, Safronova had constructed large, cornucopia-like forms with mass amounts of magnetic videotape spilling out of them. For Peschkenhaus, she painted a large, curved end of plastic tubing a metallic color and mounted it high on the wall of the gallery space, just below the ceiling. A huge surge of pitch-black metallic tape spilled out of it into the room as if from a faucet, covering a considerable part of the floor. The work struck a grotesque contrast with the stucco-adorned, Art Nouveau architecture of the exhibition space and what looked like a surge of jet-black liquid that seemed to gush inexorably from a kind of drainpipe. The dynamics of the magnetic strip cascading vertically into the space was visually "halted" at the bottom, where the accumulated ends of tape had the look of viscous bitumen. The shiny black mass seemed to be expanding slowly, creeping evenly across the floor. And yet the impression was an ambivalent one given the strange look of what was actually happening, which could just as easily be construed as a freeze-frame from a highly dynamic moving image. The eye oscillated constantly between the overall picture of a dark substance pouring into the architecture on the one hand and the volume's visual dissolution into an infinite number of finely-intertwined, magnetic ribbons on the other.

Untitled, Kunstverein Peschkenhaus Moers,2005

As with *Regenhaus* and *Lichterfluss*, Safronova's installation in Peschkenhaus also had to do with the moment of motion seen in flow, although in this case it was an illusion. In place of real momentum or dynamism we saw a liveliness of the surface, as varied reflections on the accumulated, smooth magnetic ribbons changed with every breeze in the room and each time the viewer changed position. Where the two light installations left proverbial room for interpretation related to cyclical processes or the human life cycle,[4] the menacing sight of something dark pouring out of the wall evokes rather fatalistic associations: the pitch-colored mass reminiscent of petroleum invading the protective, architectural space created a latent feeling of threat and also triggered thoughts of pollution and destruction. On the other hand, the image of what looks like wastewater pouring freely into the whitewashed exhibition space could be read as an ironic commentary on the modern exhibition principle of the so-called "white cube," the neutral, white space commonly used to avoid interaction between artwork and architecture. By contrast, this interdependence is elevated to become precisely the central principle of the work.

The installation concept becomes even more clear in a drawing and model from 2006, where Safronova effectively multiplied the basic structure of her Peschkenhaus work so that entire rooms sink into the dark "waters" of magnetic tape. The sculpture is not positioned in the exhibition space like an autonomous, independent artistic statement, but pretends to be part of the existing architecture, revoking the neutrality of the "white cube" by allowing something alien, something unreal to enter its enclosure. Both the sculpture's effect and its expansive potential incorporate the totality of the space and convert it into her soundboard, as it were. Here, Safronova employs a principle that would become one of her main focal points in the years to come, very literally echoing a favorite tenet of Cubist Henri Laurens, who understood sculpture mostly as a means of occupying or seizing possession of a space.[5]

A strong relationship to space, or site-specificity, has taken many forms since the advent of "Environmental Art" in the US in the 1950s. "Today, [the idea of using] site as the starting point for sculpture is a self-evident part of many artists' practices."[6] Starting with her installation at Peschkenhaus in 2005, Safronova dedicated an entire series of works to the visual investigation of composition as a totality combining work and setting. Her artistic urge to design and alter an entire space with sculpture was radically articulated in a 2009 model. This work played out on a small scale, with sculptural means once again showing "flowing" movements, in this case feigning the roiling back-and-forth of large water masses. It counters the vertical dynamics of both the *Regenhaus* and *Lichterfluss* installations and the cascading black ribbons in Peschken-

4 Cf. Ullrich, ibid.

5 Vogel, as cited in footnote 1, 35.
6 Ibid., 40.

haus with a surface that expands horizontally across the floor. The luminous blue, glittering expanse seems to surge through an interior space punctuated by a number of columns a room that, as the four large windows openings show, matches the dimensions of the former gallery space run by the DKM Foundation.
What is striking here are the many supporting columns that appear completely superfluous to the actual architecture and turn out, upon closer inspection, to be part of the sculptural concept. In fact, most of the added pillars serve to stabilize the sculpture, which cuts through the space horizontally as though suspended in mid-air. The transition from image-based work to structure is no longer clearly distinguishable, so the built environment as a whole becomes part of the sculptural structure.

Like the Peschkenhaus installation, Safronova's design for a blue, horizontal surface-shape shows a playful, imaginative break with conventional notions of sculpture by ostensibly suspending the laws of supports and loads, and with a curved shape that avoids any contact with the floor. The avant-garde ambition to free sculpture of its pedestal and integrate it more decisively into everyday space is articulated in an exaggerated way: not only has the sculpture shed its volume, its form has become completely ungrounded as well. With these flowing or floating formal compositions, the artist prepares to visualize phenomena that actually elude representation in the static, three-dimensional medium. Her maquette for a spatial object is not a closed volume that clearly distinguishes itself from the room, nor could be described as independent of its structural constitution. Instead, Safronova has distilled her sculpture to a pure surface that, for physical reasons alone, already depends on interaction with its architectural enclosure. Nevertheless, the gentle, undulating waves of this sculptural landscape, the light refracting differently on the high-gloss surface, can also exist as an autonomous sculptural idea, as we see in a white-painted version of the form cast in plaster (Fig. p. 47).

Space Object with blue surface, 2009

In 2009, Safronova had the first opportunity to realize her artistic idea of a comprehensive, space-enveloping, total sculptural composition on a large scale. At Kunstverein Leverkusen, she was able to implement a concept for a cuboid sculpture with a number of protrusions clinging to it (Fig. p. 58) an idea the artist had developed in a drawing and a model as early as 2007. In the three-dimensional model, Safronova has transformed the sculptural body (still soft and organically-shaped in the initial sketch) into convex polyhedra that adhere to ceiling supports and walls or grow up from the floor like pyramids.

Based on this configuration, the artist designed four large, honeycomb-like shapes for Leverkusen. Like the walls and pillars, the plastic modules modeled from Styrofoam and plaster are kept neutral white, so that they seem to grow straight out of the building enclosure. Their angular shapes and arrangement point to the concrete space and its dimensions. The viewer perceives not the individual sculptural work but the spatial harmony of all four elements. As Susanne Wedewer has pointed out, the sculptural protuberances cause the architecture to lose its character of a neutral envelope, and is instead perceived as a "'body' that absorbs us."[7] This, in turn, becomes a resonant space of sculptural forms, so that the two mutually define one another.

Space Sculptures, Kunstverein Leverkusen, 2009

Raumskulptur ("Space Sculpture"), the title Safronova chose for her work, was actually a pleonasm as sculpture is a spatial medium *per se*. Wedewer, however, traces the concept back to Richard Serra, who in 2007 used the occasion of his exhibition at the Museum of Modern Art exhibition to describe how he positions his monumental steel sculptural volumes to alter space itself.[8] Safronova emphasizes not only the sculptural, but also the painterly impact of her works.

---

7 Susanne Wedewer, "Zu der Arbeit 'Raum-Skulptur' von Yevgeniya Safronova" [On the 'Space Sculpture' by Yevgeniya Safronova] Kunstverein Leverkusen Schloss Morsbroich e.V. 8/25/2009–9/27/2009 (brochure accompanying the exhibition).

8 Ibid.

Broken by polygonal volumes, her surfaces distribute incidental light laterally into white or gray gradations that are clearly distinct from one other, so that the outer shells of the polyhedra form a kind of brightness spectrum. Besides the play with space and sculptural volumes we see once again the specific use of light and surface that makes Safronova's visual language so distinctive. Compared to her previous formal compositions, the "Space Sculpture" created for Leverkusen remained remarkably static. This changed decidedly with the artist's largest-ever implemented sculpture, shown at Museum DKM in Duisburg in 2014.

"Space Sculpture" 2013/2014

Created for "RuhrKunstSzene," a survey group exhibition across ten different locations, Safronova created a large-scale floor work conceived in confrontation with the dimensions and architectural conditions of a specific exhibition space in the private Museum DKM in Duisburg, responding directly to the elongated floor plan. In a hugely elaborate creative process that lasted for several months, the artist created a series of large modules from a previously developed model, keeping the original proportions while adjusting the scale. Manufactured with high precision from such as materials as polystyrene, epoxy resin and plaster, the individual pieces were transferred to the site and assembled at the exhibition space.

Safronova's complex structure seemed to proliferate into the room, as if welling up from a narrow side of the exhibition hall. The writhing form covered a large surface area with complicated entanglements and overlays without reaching any considerable height.[9] Most of the U-shaped loops of the generously-sized sculpture resembled links in a tangled chain or catches in an inextricably knotted belt. Yet once again, any representational associations were offset by the sterile white color and perfectly polished surface, which gave the sculpture the look of a modern design object. Although the individual, loop-like segments resembled one other, none was repeated. Every element had an individual, singular form that appeared only once. For all the additive juxtaposition of analogue-designed partial fragments, their bifurcations and penetrations seem to follow an erratic principle. Like her work for the Kunstverein Leverkusen, the sculpture for Museum DKM is also an ambiguous thing, with features of an organic structure on the one hand (including the potential to grow and continue to expand in space), and the look of something artificial and sterile on the other. The latter is a quality that Safronova has consciously enhanced in other works, through the use of metallic surfaces or a garish colors, for example.[10]

Space Sculpture, Museum DKM, 2013-2014

Safronova's Duisburg sculpture combined conceptual threads from earlier works and brought them together: nature-like moments of movement, altering space through the intrusion of a plastic body, playful allusions to living surface, rhythm and repetition—all of this was bundled together in an aesthetically convincing, exciting artistic work. Despite its enormous size, Safronova's floor sculpture did not resort to overpowering the viewer; instead it motivates him or her to actively understand the complex entanglements and the sculpture's active, multi-layered quality by walking around it, encouraging him or her to experience of the eminently painterly quality of the various shades of light on the undulating surface. Nevertheless, the monumental form remained genuinely sculptural, and seemed enlivened from within and animated by a mysterious, inherent dynamic.

Expansion and concentration

Safronova's formal compositions can often be conceived in very different dimensions, as a comparative look at her maquettes and finished sculptures shows. Her sculpture models often appear with small miniature figures, indicating that many of the sculptures she envisions strive toward the monumental. Magnifying them several times would allow the crystalline or gently curving forms to grow into veritable sculptural landscapes that, on a practical level, would only be conceivable in an outdoor setting. But because they are created as a perfect harmony of space and form, the life span of large sculptures like *Raumskulptur* ("Space Sculpture") 2013/14—realized in Duisburg in 2014—is

9 The work has a maximum height of one meter.

10 See, for example, her 2012 work for Schlosspark Stammheim in Cologne.

limited to the duration of the exhibition, since they rely on the concrete conditions of a given architecture. However, given their emphasized expanse and rhythmic, moving surface area, works like these could also be tilted 90 degrees, reduced in scale and executed as wall reliefs.

A recent series of *Knotenskulpturen* ("Knot Sculptures"), seems to diametrically oppose the colossally-configured expansion of previous works in favor of consolidation and concentration to the closed, compact, yet complex three-dimensional shape built up as a structure. The juxtaposition of convex and concave surfaces, sharp edges and gently curved surfaces echoes the sculptural volumes of Hans Arp, while the complicated tangles are reminiscent of Tony Cragg's series of "Early Forms" from the 1990s. Like these, Safronova also develops and processes her intuitive formal compositions as a series in order to explore an idea in its various versions and aspects in a systematic way. Above all, she is concerned with impressions of movement and sculpture's ability to take on a life of its own.

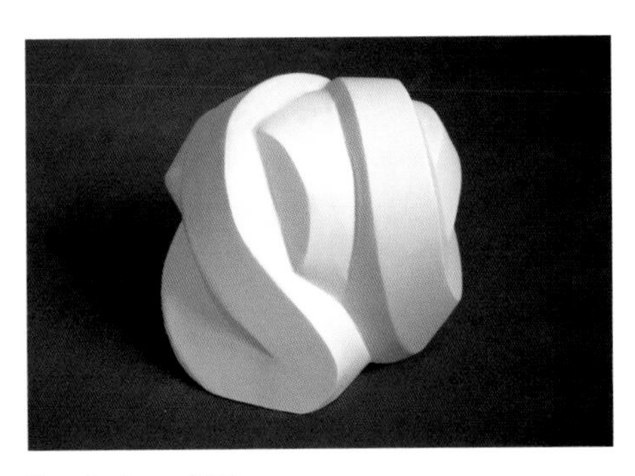

Knot Scultures, 2013

Although the visual takes clear precedence over the haptic in Safronova's sculptures and her formal compositions show no traces of the process of their making, she adheres to a very hands-on concept of sculpture not unlike Constantin Brancusi's.[11] It is important to the artist to work with materials that she is experienced in handling and can work with in a slow, complex process, using laborious grinding and polishing to yield a completely smooth, glossy surface. The "made-ness" of her sculptures is de-emphasized by the perfection of the execution; it gives all of her formal compositions a highly aesthetic, elegant sculptural vocabulary.

11 Unlike sculptors such as Tony Cragg (who delegates practical aspects related to craft), Constantin Brancusi considered autonomous artistic production—including the elaborate surface treatment—a significant part of the artistic process.

And yet, the works come across as anything but lifeless or sterile: on the contrary, the artist has an uncanny ability to harness invisible sculptural potential in a focused, yet playful way, recalling Henri Moore's tenet of material animated by a kind of organic energy: "[Sculpture] creates organisms that must be complete in themselves. (…) A sculpture must have its own life. (…) It should make the observer feel that what he is seeing contains within itself its own organic energy thrusting outwards."[12] Safronova's forms resonate with Moore's ideas; like natural organisms, they resist symmetry and appear less as an expression of external design processes than as the result of inherent forces striving to take form.[13]

"Drawn Forms" (2016)

Because the consistent exploration of sculptural possibilities is a key part of Safronova's practice, once-formulated solutions are not elevated to a principle, but always varied, questioned or even inverted to their opposite. Such was the case with *Gezeichnete Form 1* ("Drawn Form 1"), a work shown in 2016 at Kunstverein Bellevue-Saal in Wiesbaden, where the materiality so carefully hidden in previous objects appears as overtly as the seemingly effortless and playful production process: ring-shaped ovals cut from corrugated cardboard were placed in countless layers one on top of the other, their edges lining up perfectly to create stacks of varying heights. These form on the one hand clearly distinguishable individual segments, and yet they are also interwoven with one another, creating a system of highly complex overlays and intersections.

Drawn Form 1, 2016

The title *Gezeichnete Form 1*, or "Drawn Form 1" indicates that Safronova has short-circuited the preparatory drawing process with the sculpture's execution. The starting point was one of her wall objects that was transferred into the

12 Henry Moore quoted in Edouard Roditi, *Dialogues on Art*, Secker and Warburg, London 1960, 187.
13 Moore, 51.

medium of drawing through various steps of abstraction, before finally being reduced to an outline traced by hand. It involves the gradual reduction or distilling of a volume back to pure surface and further, to pure line. She has traced the contour lines in corrugated board using a scalpel to create the individual layers, from which again a three-dimensional object emerges via the principle of stratification. With this process of addition, a two-dimensional shape became a three-dimensional body in space—a drawing became sculpture. And yet this one no longer comes across as a sculptural organism animated from within. Instead, its appearance is marked by the moment of segmentation and merging, along with its striking material properties.

Although the complex genesis of a work based on mere intuition cannot be fully understood, "Drawn Form 1" is notably different from earlier works in that visible "made-ness" and material qualities are key to the way it looks and is perceived. The playful handling of form and physicality, as well as fragility (the open porous edge textures of corrugated cardboard or slight shifts of the different layers) lend the work a certain lightness and vibrancy that speaks to the artist's mastery of sculptural expressive possibilities and explicitly signals the beginning of a new series of works.

Lightness and fragility also ultimately characterize another work by Safronova from 2016, which was also shown at the Kunstverein Bellevue-Saal in Wiesbaden. Once again, the viewer encounters the basic shape of the ellipse, this time in the form of a closed and discreet metal disc. *Gezeichnete Form 2* ("Drawn Form 2")—one of the few metal objects Safronova has made to date—was created out of stainless steel and aluminum. Compared to the overlapping horizontal layers in the "Form 1" floor work, the metal object is direct and striking in its dynamism and elegance. Suspended, as it were, over an oval base are four other, identically-sized elliptical shapes that extend diagonally, moving outward, with the ovals overlapping in places. The upward movement of the first three ellipses falls again with the fourth, with an alignment that approaches the horizontal. Hanging from this fourth surface are delicate metal spirals that, consequently, counter the upward dynamic with a vertical downward movement. The four ovals are "held," as it were, by a delicately curved support structure affixed to the base. The support structure branches off toward the top, with bezels for the metal surfaces in its bifurcations. Looking at the piece from different angles yields new visual impressions with every change in position.

Drawn Form 2, 2016

While the linear, soaring aspects dominate the impression from side, the diagonal and surfaces facing the viewer are the most notable in the front. As a whole, the sculpture has the look of a curving vegetal structure, although the metallic quality contradicts any biomorphic associations.

Safronova's affinity for light and surface finds new expression in this use of reflective material. The work reaches toward the windows like a plant, so that its elliptical surfaces catch as much light as possible. Even the delicate lineaments of dangling, curling wire refract the light, also creating a number of gently moving reflections. It is striking how resolutely Safronova's "Drawn Form 2" deviates from both her "Space Sculptures" and the solid, closed "Knot Sculptures." "Drawn Form 2" is all but diametrically opposed to the latter: while the convoluted "Knot Sculptures" seem concentrated in themselves, the metal object swings and bends its way into the vertical dimension—compressed form with closed contours meets free dynamism and precarious balance. Yet what "Drawn Form 2" gains in momentum, it loses in physical mass and volume. The elliptical shapes, curved support structure and delicate spiral lines have the look of a drawing in three dimensions.

With her most recent work exploring the transition from two to three dimensions, Safronova is also venturing to frontiers of the sculptural. For all the lightness, joy and playful handling various materialities, we also see the seriousness, systematic way she approaches a sculptural concept. An overview of the last twelve years shows how consistently she has developed her sculptural line of inquiry, creating an oeuvre that is as multifaceted as it is aesthetically sophisticated.

Dr. Heike Baare

BIOGRAFIE

1977
geboren in Dnipropetrowsk, Ukraine

Seit 2015
Professorin für Bildhauerei/Plastik
an der Hochschule der bildenden Künste
(HBK) Essen

Seit 2007
Lehrauftrag für grenzüberschreitende
künstlerische Verfahren
an der Universität Duisburg-Essen

1999-2006
Studium an der Kunstakademie Münster
im Studiengang Freie Kunst

2004
Meisterschülerin, Klasse Ulrich Erben,
Kunstakademie Münster

2001
Reisestipendium nach Israel
zur Bezalel Kunstakademie Jerusalem

EINZELAUSSTELLUNGEN

2017 Knoten und Kristalle,
Galerie Borchardt, Hamburg

2009 Raumskulpturen,
Kunstverein Leverkusen

2006-2007
Lichterfluss,
Galerie der Stiftung DKM,
Duisburg

2004 Regenhaus,
Wewerka Pavillon,
Münster

GRUPPENAUSSTELLUNGEN
(AUSWAHL)

2017 Studierende und Lehrende der HBK Essen,
Kunstverein Gelsenkirchen
2016 Tannhäuser Tor Phase 2,
Gemeinsame Ausstellung mit
Alexos Hofstetter und Florian Göpfert,
Kunstverein Bellevue-Saal Wiesbaden
2015 In Situ - Die Kunst mit der Architektur,
Galerie Borchardt, Hamburg
2015 DEW Kunstpreis 2015, Dortmunder U
2014 Reimund van Well,
Yevgeniya Safronova, Heike Drewelow,
Kunstverein Peschkenhaus Moers
2014 Duisburger Perspektiven,
Museum DKM, Duisburg
2012 Schlosspark Stammheim Kunst 2012,
Schlosspark Stammheim, Köln
2012 Kuboshow, Flottmann - Hallen, Herne
2011 Große Kunstausstellung Halle (Saale)
2011, Kunsthalle Villa Kobe
2007 Kunstpreis junger westen 2007,
Kunsthalle Recklinghausen
2005 Förderpreis der Kunstakademie Münster,
Ausstellungshalle zeitgenössischer Kunst,
Münster
2005 Forum 2005,
Burg Vischering, Lüdinghausen
2004 Wanderpause,
Peschkenhaus Moers
2004 Produkt-Art, Tuchmacher-Museum,
Bramsche

BIOGRAPHY

1977
born in Dnipropetrowsk, Ukraine

Since 2015
Professor for Sculpture
at the Academy for Visual Arts
(HBK) Essen

Since 2007
Lecturer for Boundary-Crossing Artistic
Processes at the University of
Duisburg-Essen

1999-2006
Studies at the Academy of Fine Arts
Münster, Fine Arts major

2004
Master's student under Ulrich Erben
Academy of Fine Arts Münster

2001
Travel grant to Israel, to the
Bezalel Academy of Arts and Design,
Jerusalem

SOLO EXHIBITIONS

2017 Knots and crystals,
Gallery Borchardt, Hamburg

2009 Raumskulpturen
(Space Sculptures)
Kunstverein Leverkusen

2006-2007
Lichterfluss (River of Lights)
Foundation DKM Gallery,
Duisburg

2004 Regenhaus (Rainhouse)
Wewerka Pavillon,
Münster

GROUP EXHIBITIONS
(SELECTION)

2017 Student and teacher of the HBK Essen,
Kunstverein Gelsenkirchen
2016 Tannhäuser Tor Phase 2, joint exhibition
with Alexos Hofstetter and Florian Göpfert,
Kunstverein Bellevue-Saal Wiesbaden
2015 In Situ – Die Kunst mit der Architektur,
Galerie Borchardt, Hamburg
2015 DEW Kunstpreis 2015, Dortmunder U,
Dortmund
2014 Reimund van Well, Yevgeniya Safronova,
Heike Drewelow,
Kunstverein Peschkenhaus Moers
2014 Duisburger Perspektiven,
Museum DKM, Duisburg
2012 Schlosspark Stammheim Kunst 2012,
Schlosspark Stammheim, Cologne
2012 Kuboshow, Flottmann - Hallen, Herne
2011 Große Kunstausstellung Halle (Saale)
2011, Kunsthalle Villa Kobe
2007 Kunstpreis junger westen 2007
Kunsthalle Recklinghausen
2005 Förderpreis der Academy of Fine Arts Münster,
Contemporary Art Exhibition Hall
2005 Forum 2005,
Burg Vischering, Lüdinghausen
2004 Wanderpause,
Peschkenhaus Moers
2004 Produkt-Art, Tuchmacher-Museum,
Bramsche

PUBLIKATIONEN / PUBLICATIONS

2014 Katalog / Exhibition catalogue / RuhrKunstSzene
Fünfzig Positionen, Zehn Museen, Eine Ausstellung.
Hrsg. / Eds.: Ferdinand Ullrich, Sepp Hiekisch-Picard,
Hans-Jürgen Schwalm
im Auftrag der RuhrKunstMuseen;
Kerber Verlag, Bielefeld

2012 Katalog / Exhibition catalogue / Schlosspark Stammheim Kunst
Hrsg. / Eds.: Initiative Kultur Raum Rechtsrhein (KRR)

Katalog / Exhibition catalogue / Kuboshow Kunstmesse.
101 junge Künstler
Flottmann-Hallen, Herne

2009 Faltblatt / Folder / Yevgeniya Safronova. Raumskulpturen
Kunstverein Leverkusen Schloß Morsbroich e. V.

2007 Katalog / Exhibition catalogue / Kunstpreis junger westen
Plastik, Skulptur, Installation
Hrsg. / Eds.: Ferdinand Ullrich und Hans-Jürgen Schwalm
Kunsthalle Recklinghausen

2006 Faltblatt / Folder / Yevgeniya Safronova. Lichterfluss
Stiftung DKM, Duisburg

2005 Katalog / Exhibition catalogue / Wewerka Pavillon 2004/2005:
Ausstellungsreihe der Kunstakademie Münster,
Hochschule für Bildende Künste.
Hrsg. im Auftrag der Kunstakademie Münster Hochschule
für Bildende Kunst.

DANKSAGUNG / ACKNOWLEDGMENTS

Für die Arbeit am Katalog gilt mein herzlicher Dank /
For their work on the catalogue, my heartfelt thanks to:
Dr. Heike Baare - Text / text
Susanne Günther - Kataloggestaltung / catalogue design
Werner J. Hannappel - Fotografie / photography
Amy Patton - Übersetzung / translation / editing

Im Verlauf meiner künstlerischen Entwicklung wurde ich maßgeblich unterstützt durch /
To the following for their strong support over the course of my artistic development:
Prof. Ulrich Erben
Dirk Krämer und Klaus Maas - Museum DKM Duisburg
Prof. Dr. Ferdinand Ullrich - Kunsthalle Recklinghausen
Peter Borchardt - Gelerie Borchardt Hamburg
Susanne Wedewer-Pampus - Kunstverein Leverkusen Schloß Morsbroich e. V.
Kunstverein Bellevue-Saal Wiesbaden
Kunstverein Peschkenhaus Moers
die MitarbeiterInnen der Ausstellungsinstitutionen und meine langjährigen Kollegen. /
The staff at these exhibition venues and my longtime colleagues.
Ihnen allen gilt dafür mein aufrichtiger Dank. / To all of you, my sincere thanks.

Außerdem wären die meisten meiner großformatigen Projekte gar nicht möglich gewesen ohne die großzügige Unterstützung durch: / Also, most of my large-scale projects would not have been possible without the generous support of:
Baucentrum Stewes GmbH & Co. KG, Dinslaken
Hellmich Transport GmbH, Duisburg
Fröbel Metallbau GmbH, Brühl, mit einem besonderen Dank an Jan Fischoeder
KOHLSCHEIN GmbH & Co. KG, Viersen

IMPRESSUM / COLOPHON

Diese Publikation erscheint anlässlich der Ausstellung:
This publication is published to accompany the exhibition:
Yevgenyia Safronova - Knoten und Kristalle, 2017

Herausgeber / Editor(s):
Galerie Borchardt

Gestaltung / Design:
Susanne Günther, Düsseldorf, info@susanneguenther.de
Projektmanagement / Project Management, Kerber Verlag:
Katrin Meder

Text / Contributing writer:
Dr. Heike Baare
Übersetzungen / Translations:
Amy Patton, Berlin

Vorlage Reihenfolge Verlagsangaben:
Die Deutsche Nationalbibliothek verzeichnet diese Publikation in der Deutschen Nationalbibliografie; detaillierte bibliografische Daten sind im Internet über http://dnb.dnb.de abrufbar.
The Deutsche Nationalbibliothek lists this publication in the Deutsche Nationalbibliografie; detailed bibliographic data are available on the Internet at http://dnb.dnb.de.

Gesamtherstellung und Vertrieb / Printed and published by:
Kerber Verlag, Bielefeld
Windelsbleicher Str. 166–170
33659 Bielefeld
Germany
Tel. +49 (0) 5 21/9 50 08-10
Fax +49 (0) 5 21/9 50 08-88
info@kerberverlag.com

Kerber, US Distribution
D.A.P., Distributed Art Publishers, Inc.
155 Sixth Avenue, 2nd Floor
New York, NY 10013
Tel. +1 (212) 627-1999
Fax +1 (212) 627-9484

Kerber-Publikationen werden weltweit in führenden Buchhandlungen und Museumsshops angeboten (Vertrieb in Europa, Asien, Nord- und Südamerika). / Kerber publications are available in selected bookstores and museum shops worldwide (distributed in Europe, Asia, South and North America).

Fotos / Photography
Seiten / Pages:
3, 4, 6, 11, 12 links / left, 13, 14, 17, 18, 20-21, 22, 23, 24, 25, 26, 27, 28, 29, 31, 32, 33, 35, 36, 37, 38-39, 40, 41, 53, 54, 55, 56, 57, 58 oben / upper, 59, 66, 88, 89, 90, 91, 92, 93, 94, 98 rechts / right, 99, 100 rechts / right, 101
und das Umschlagbild / and the cover photo
© Werner J. Hannappel

8 rechts / right, 77, 78, 79, 80, 81, 96 rechts / right
© Werner J. Hannappel und Stiftung DKM

74 links oben / upper left © Kunstakademie Münster

68-69, 74 oben rechts / upper right © Joachim Schulz

8 links / left, 9, 10, 12 rechts / right, 42, 43, 44, 45, 46, 47, 48, 49, 50, 51, 58, 60-61, 62, 63, 64, 65, 67, 71, 72, 73, 74 unten / bottom, 75, 82, 83, 84, 85, 86, 87, 93, 96 links / left, 97, 98 links / left, 100 links / left
© Yevgeniya Safronova

ISBN 978-3-7356-0363-0
www.kerberverlag.com

Printed in Germany